Balzac
et
la Petite Tailleuse
chinoise

© Éditions Gallimard, 2000 pour le texte de Dai Sijie.
© Éditions Belin/Éditions Gallimard, 2009 pour l'introduction, les notes et le dossier pédagogique.

ISBN 978-2-7011-5184-7
ISSN 2104-9610

CLASSICOLYCÉE

Balzac
et
la Petite Tailleuse
chinoise

DAI SIJIE

Dossier par Isabelle Schlichting

Agrégée de lettres modernes

BELIN ■ GALLIMARD

Sommaire

Pour entrer dans l'œuvre   6

Chapitre 1   9
Arrêt sur lecture 1   41

Chapitre 2   47
Arrêt sur lecture 2   96

Chapitre 3   101
Arrêt sur lecture 3   160

Le tour de l'œuvre en 7 fiches

Fiche 1. Dai Sijie en 14 dates   165
Fiche 2. L'œuvre dans son contexte   166
Fiche 3. La structure de l'œuvre   168
Fiche 4. Les grands thèmes de l'œuvre   170
Fiche 5. Le roman et ses personnages   172
Fiche 6. Un roman d'éducation aux registres variés   174
Fiche 7. Citations   176

Groupements de textes

Groupement 1.   Lire, grandir : une aventure   178
Groupement 2.   Le mythe de Pygmalion   186

Vers l'écrit du Bac

Sujet.   Portraits amoureux   195
Questions sur le corpus et travaux d'écriture   199

Fenêtres sur...

Des ouvrages à lire, des films à voir, des musées à découvrir   200

Glossaire

                                                                  202

Pour entrer dans l'œuvre

Balzac et la Petite Tailleuse chinoise : voilà un titre assez curieux si l'on veut bien s'y arrêter un instant. La biographie du grand romancier français du XIXᵉ siècle, auteur de la centaine de récits composant *La Comédie humaine*, ne rapporte guère, en effet, de voyage en Chine : comment, dès lors, aurait-il pu faire la rencontre d'une petite tailleuse chinoise ? Faut-il croire qu'elle serait venue en France pour y rencontrer le grand homme ? Fausse piste, comme vous pourrez le constater dès les premières pages de ce récit, qui se déroule bien en Chine, mais en pleine Révolution culturelle, plus d'un siècle après la mort de Balzac.

C'est que pendant cette période sombre de l'histoire chinoise, l'auteur de ce roman, Dai Sijie, alors âgé de 17 ans, a été envoyé dans un village de montagne chinois pour y être «rééduqué», comme des millions d'autres jeunes gens. De cet épisode de sa vie, il a tiré *Balzac et la Petite Tailleuse chinoise*. Pour autant, ce texte n'est pas un récit autobiographique. Il s'agit d'un roman, c'est-à-dire une œuvre dans laquelle éléments de la réalité et imaginaire se mêlent inextricablement. Et le but de Dai Sijie n'était pas, comme on pourrait s'y attendre, de se livrer à une dénonciation politique de la Révolution culturelle mais plutôt de rendre compte d'une expérience qui a marqué sa vie : la rencontre de la littérature française. D'une certaine manière, le jeune Chinois, émerveillé par des personnages de Balzac et de Dumas, semble payer sa dette à la littérature en nous offrant à son tour ce roman aussi chinois que français.

Rien ne laissait présager le succès de ce premier roman directement écrit en français d'un auteur chinois à peu près inconnu en France. Le livre avait, du reste, été refusé par plusieurs éditeurs avant d'être publié par les Éditions Gallimard en 2000. Il a pourtant été l'un des premiers événements littéraires du XXIe siècle. Le 21 janvier 2000, en effet, sur le plateau de son émission «Bouillon de culture», Bernard Pivot en fait une longue et élogieuse présentation avant de s'écrier: «Si ce livre ne devient pas un best-seller, cette émission ne sert à rien». Le journaliste et présentateur n'a pas eu à s'inquiéter: le roman a connu un rapide et immense succès, a remporté plusieurs prix littéraires et est devenu en quelques années un véritable «classique» que son auteur a lui-même adapté pour le cinéma en 2003. Le texte a été traduit dans plus de vingt-cinq langues – et même, après quelques difficultés, en chinois.

Si Balzac n'a probablement jamais rencontré de petite tailleuse chinoise, les trois jeunes protagonistes de ce récit ont, par la magie des livres, bel et bien rencontré Balzac, et cette expérience a bouleversé leur vie. Qu'à notre tour nous puissions les rencontrer dans ce texte témoigne de la fécondité et de la générosité du genre romanesque, au sein duquel peuvent se rencontrer des cultures aussi différentes que les cultures chinoise et française – au sein duquel aussi les frontières entre la réalité et la fiction sont abolies pour le plus grand bonheur du lecteur.

Chapitre 1

Le chef du village, un homme de cinquante ans, était assis en tailleur au milieu de la pièce, près du charbon qui brûlait dans un foyer creusé à même la terre ; il inspectait mon violon. Dans les bagages des deux « garçons de la ville » que Luo et moi représentions à leurs yeux, c'était le seul objet duquel semblait émaner une saveur étrangère, une odeur de civilisation, propre à éveiller les soupçons des villageois.

Un paysan approcha avec une lampe à pétrole, pour faciliter l'identification de l'objet. Le chef souleva le violon à la verticale et examina le trou noir de la caisse, comme un douanier minutieux cherchant de la drogue. Je remarquai trois gouttes de sang dans son œil gauche, une grande et deux petites, toutes de la même couleur rouge vif.

Levant le violon à hauteur de ses yeux, il le secoua avec frénésie, comme s'il attendait que quelque chose tombât du fond noir de la caisse sonore. J'avais l'impression que les cordes allaient casser sur le coup, et les frettes[1] s'envoler en morceaux.

Presque tout le village était là, en bas de cette maison sur pilotis perdue au sommet de la montagne. Des hommes, des femmes, des enfants grouillaient à l'intérieur, s'accrochaient aux fenêtres, se bousculaient devant la porte. Comme rien ne tombait de mon instrument, le chef approcha son nez du trou noir et renifla un bon coup. Plusieurs gros poils, longs et sales, qui sortaient de sa narine gauche, se mirent à grelotter.

---

1. **Frettes** : petites barrettes métalliques placées sur le manche du violon.

Toujours pas de nouveaux indices.

25 Il fit courir ses doigts calleux sur une corde, puis une autre… La résonance d'un son inconnu pétrifia aussitôt la foule, comme si ce son forçait chacun à un semi-respect.

– C'est un jouet, dit le chef solennellement.

Ce verdict nous laissa sans voix, Luo et moi. Nous échangeâmes 30 un regard furtif, mais inquiet. Je me demandais comment cela allait finir.

Un paysan prit le «jouet» des mains du chef, martela du poing le dos de la caisse, puis le passa à un autre homme. Pendant un moment, mon violon circula parmi la foule. Personne ne s'occupait 35 de nous, les deux garçons de la ville, fragiles, minces, fatigués et ridicules. Nous avions marché toute la journée dans la montagne, et nos vêtements, nos visages, nos cheveux étaient couverts de boue. Nous ressemblions à deux petits soldats réactionnaires[1] d'un film de propagande, capturés par une marée de paysans communistes, 40 après une bataille perdue.

– Un jouet de con, dit une femme à voix rauque.

– Non, rectifia le chef, un jouet bourgeois, venu de la ville.

Le froid m'envahit malgré le grand feu au centre de la pièce. J'entendis le chef ajouter :

45 – Il faut le brûler !

Cet ordre suscita immédiatement une vive réaction dans la foule. Tout le monde parlait, criait, se bousculait : chacun essayait de s'emparer du «jouet», pour avoir le plaisir de le jeter au feu de ses propres mains.

50 – Chef, c'est un instrument de musique, dit Luo d'un air désinvolte. Mon ami est un bon musicien, sans blague.

Le chef reprit le violon et l'inspecta de nouveau. Puis il me le tendit :

– Désolé, chef, dis-je avec gêne, je ne joue pas très bien.

---

1. Réactionnaire : Terme péjoratif qui désigne une personne opposée au changement ou qui souhaite revenir au passé – c'est-à-dire ici à la Chine d'avant le communisme.

55   Soudain, je vis Luo me faire un clin d'œil. Étonné, je pris le violon et commençai à l'accorder.

– Vous allez entendre une sonate de Mozart, chef, annonça Luo, aussi tranquille que tout à l'heure.

Abasourdi, je le crus devenu fou : depuis quelques années, toutes
60 les œuvres de Mozart, ou de n'importe quel musicien occidental, étaient interdites dans notre pays. Dans mes chaussures trempées, mes pieds mouillés étaient glacials. Je tremblai du froid qui m'envahissait de nouveau.

– C'est quoi une sonate ? me demanda le chef, méfiant.
65   – Je ne sais pas, commençai-je à bafouiller. Un truc occidental.

– Une chanson ?

– Plus ou moins, répondis-je, évasif.

Illico, une vigilance de bon communiste réapparut dans les yeux du chef et sa voix se fit hostile :
70   – Comment elle s'appelle, ta chanson ?

– Ça ressemble à une chanson, mais c'est une sonate.

– Je te demande son nom ! cria-t-il, en me fixant droit dans les yeux.

De nouveau, les trois gouttes de sang de son œil gauche me
75 firent peur.

– *Mozart*…, hésitai-je.

– *Mozart* quoi ?

– *Mozart pense au président Mao*, continua Luo à ma place.

Quelle audace ! Mais elle fut efficace : comme s'il avait entendu
80 quelque chose de miraculeux, le visage menaçant du chef s'adoucit. Ses yeux se plissèrent dans un large sourire de béatitude.

– Mozart pense toujours à Mao, dit-il.

– Oui, toujours, confirma Luo.

Lorsque je tendis les crins de mon archet, des applaudissements
85 chaleureux retentirent soudain autour de moi, qui me firent presque peur. Mes doigts engourdis commencèrent à parcourir les cordes, et les phrases de Mozart revinrent à mon esprit, tels des amis fidèles. Les visages des paysans, si durs tout à l'heure, se ramollirent de minute en minute sous la joie limpide de Mozart, comme le sol

90 desséché sous la pluie, puis, dans la lumière dansante de la lampe
à pétrole, ils perdirent peu à peu leurs contours.

Je jouai un long moment, pendant que Luo allumait une cigarette et fumait tranquillement, comme un homme.

Telle fut notre première journée de rééducation. Luo avait dix-
95 huit ans, moi dix-sept.

*

Deux mots sur la rééducation : dans la Chine rouge, à la fin de
l'année 68, le Grand Timonier de la Révolution, le président Mao,
lança un jour une campagne qui allait changer profondément le
pays : les universités furent fermées, et « les jeunes intellectuels »,
100 c'est-à-dire les lycéens qui avaient fini leurs études secondaires,
furent envoyés à la campagne pour être « rééduqués par les paysans
pauvres ». (Quelques années plus tard, cette idée sans précédent
inspira un autre leader révolutionnaire asiatique, un Cambodgien,
qui, plus ambitieux et plus radical encore, envoya toute la population
105 de la capitale, vieux et jeunes confondus, « à la campagne »[1].)

La vraie raison qui poussa Mao Zedong à prendre cette décision
restait obscure : voulait-il en finir avec les Gardes rouges[2], qui commen-
çaient à échapper à son contrôle ? Ou était-ce la fantaisie d'un grand
rêveur révolutionnaire, désireux de créer une nouvelle génération ?
110 Personne ne sut jamais répondre à cette question. À l'époque, Luo
et moi en discutâmes souvent en cachette, tels deux conspirateurs.
Notre conclusion fut la suivante : Mao haïssait les intellectuels.

Nous n'étions ni les premiers ni les derniers des cobayes utilisés
dans cette grande expérience humaine. Ce fut au début de l'année
115 1971 que nous arrivâmes dans cette maison sur pilotis, perdue au fin
fond de la montagne, et que je jouai du violon pour le chef du village.
Nous n'étions pas les plus malheureux non plus. Des millions de

---

1. Le leader cambodgien en question est Pol Pot (1928-1998) qui devint premier
ministre en 1976 et fut responsable d'innombrables atrocités.
2. Gardes Rouges : brigades de jeunes gens chargées de traquer les ennemis de la
Révolution communiste.

jeunes nous avaient précédés, et des millions allaient nous succéder.
Une seule chose ressemblait à ce que l'on appelle l'ironie du sort:
120 ni Luo ni moi n'étions lycéens. Jamais nous n'avions eu la chance de
nous asseoir dans une salle de classe de lycée. Nous avions simplement
terminé nos trois années de collège, quand on nous envoya dans la
montagne, comme si nous étions des «intellectuels».

Il était difficile de nous considérer, sans délit d'imposture, comme
125 deux intellectuels, d'autant que les connaissances que nous avions
acquises au collège étaient nulles: entre douze et quatorze ans,
nous attendîmes que la Révolution se calmât, et que rouvrît notre
établissement. Mais quand nous y entrâmes enfin, nous fûmes
emplis de déception et d'amertume: les cours de mathématiques
130 étaient supprimés, de même que ceux de physique et de chimie,
les «connaissances de base» se limitant désormais à l'industrie et à
l'agriculture. Sur les couvertures des manuels, on voyait un ouvrier,
coiffé d'une casquette, qui brandissait un immense marteau, avec
des bras aussi gros que ceux de Stallone. À côté de lui, se tenait
135 une femme communiste déguisée en paysanne, avec un foulard
rouge sur la tête. (Une plaisanterie vulgaire, qui circulait alors entre
les collégiens, consistait à dire qu'elle s'était entouré la tête de sa
serviette hygiénique.) Ces manuels et le Petit Livre Rouge de Mao[1]
restèrent, plusieurs années durant, notre seule source de connais-
140 sance intellectuelle. Tous les autres livres étaient interdits.

On nous refusa l'entrée au lycée, et on nous força à endosser le
rôle de jeunes intellectuels à cause de nos parents, alors considé-
rés comme des ennemis du peuple, bien que la gravité des crimes
imputés aux uns et aux autres ne fût pas tout à fait la même.
145 Mes parents exerçaient la médecine. Mon père était pneumologue, et ma mère spécialiste des maladies parasitaires. Ils travaillaient
tous les deux à l'hôpital de Chengdu, une ville de quatre millions
d'habitants. Leur crime consistait à être de «puantes autorités
savantes», qui jouissaient d'une réputation de modeste dimension

---

1. Le Petit Livre Rouge de Mao: recueil de citations du président Mao Zedong que
tout citoyen chinois était alors tenu de posséder et de connaître.

150 provinciale, Chengdu étant la capitale du Sichuan, une province peuplée de cent millions d'habitants, éloignée de Pékin mais très proche du Tibet.

Par rapport au mien, le père de Luo était une véritable célébrité, un grand dentiste connu dans toute la Chine. Un jour, avant la Révo-155 lution culturelle, il avait dit à ses élèves qu'il avait refait les dents de Mao Zedong, de Madame Mao, et aussi de Jiang Jieshi, le président de la République avant la prise du pouvoir par les communistes. À vrai dire, à force de contempler tous les jours le portrait de Mao depuis des années, certains avaient déjà remarqué que ses dents étaient très 160 jaunes, presque sales, mais chacun se taisait. Et voilà qu'un éminent dentiste suggérait comme ça, en public, que le Grand Timonier de la Révolution portait un dentier ; c'était au-delà de toutes les audaces, un crime insensé et impardonnable, pire que la révélation d'un secret de défense nationale. Sa condamnation, par malchance, fut d'autant 165 plus lourde qu'il avait osé mettre les noms du couple Mao au même rang que celui de la plus grande des ordures : Jiang Jieshi.

Pendant longtemps, la famille de Luo habita à côté de chez moi, sur le même palier, troisième et dernier étage d'un bâtiment en brique. Il était le cinquième fils de son père, et le seul enfant 170 de sa mère.

Il n'est pas exagéré de dire que Luo fut le meilleur ami de ma vie. Nous grandîmes ensemble, et connûmes toutes sortes d'épreuves, parfois très dures. Nous nous disputions très rarement.

Je me souviendrai toujours de la seule fois où nous nous sommes 175 battus, ou plutôt où il m'a battu : c'était durant l'été 1968. Il avait environ quinze ans, moi à peine quatorze. C'était un après-midi ; une grande réunion politique se tenait à l'hôpital où travaillaient nos parents, sur un terrain de basket en plein air. Nous savions tous les deux que le père de Luo était l'objet de cette réunion, et 180 qu'une nouvelle dénonciation publique de ses crimes l'attendait. Vers cinq heures, personne n'étant encore revenu, Luo me demanda de l'accompagner là-bas.

– On va identifier ceux qui dénoncent et battent mon père, me dit-il, et on se vengera d'eux quand on sera plus grands.

185 Le terrain de basket bondé grouillait de têtes noires. Il faisait très chaud. Le haut-parleur hurlait. Le père de Luo était agenouillé au centre d'une tribune. Une grande pancarte en ciment, très lourde, était suspendue à son cou par un fil de fer qui s'enfonçait et disparaissait presque dans sa peau. Sur cette pancarte, étaient inscrits
190 son nom et son crime : RÉACTIONNAIRE.

Même à trente mètres de distance, j'eus l'impression de voir sur le sol, sous la tête de son père, une large tache noire, formée par sa sueur.

La voix menaçante d'un homme cria dans le haut-parleur :

– Avoue que tu as couché avec cette infirmière !

195 Le père courba la tête, de plus en plus bas, si bas que l'on eût cru que son cou avait fini par être écrasé par la pancarte en ciment. Un homme approcha un micro de sa bouche, et l'on entendit un « oui » très faible, presque tremblant, s'en échapper.

– Comment ça s'est passé ? hurla l'inquisiteur dans le haut-parleur.
200 C'est toi qui l'as touchée le premier, ou c'est elle ?

– C'est moi.

– Et après ?

Il y eut un silence de quelques secondes. Puis toute la foule cria comme un seul homme :
205 – Et après ?

Ce cri, répété par deux mille personnes, retentit comme un coup de tonnerre, et tournoya au-dessus de nos têtes.

– J'ai avancé…, dit le criminel.

– Encore ! Des détails !
210 – Mais dès que je l'ai touchée, avoua le père de Luo, je suis tombé… dans les nuages et le brouillard.

Nous partîmes, tandis que les cris de cette foule d'inquisiteurs fanatiques recommençaient à se déchaîner. En chemin, je sentis soudain des larmes couler sur mon visage, et je réalisai combien
215 j'aimais ce vieux voisin, le dentiste.

À cet instant, Luo me gifla, sans dire un mot. Le coup fut tellement surprenant, que je faillis être propulsé par terre.

*

En cette année 1971, le fils d'un pneumologue et son copain, le fils d'un grand ennemi du peuple qui avait eu la chance de toucher les dents de Mao, étaient seulement deux «jeunes intellectuels» parmi la centaine de garçons et de filles envoyés dans cette montagne, nommée «le Phénix du Ciel». Un nom poétique, et une drôle de manière de vous suggérer sa terrible hauteur : les pauvres moineaux ou les oiseaux ordinaires de la plaine ne pourraient jamais s'élever jusqu'à elle ; seule pouvait l'atteindre une espèce liée au ciel, puissante, légendaire, profondément solitaire.

Aucune route n'y accédait, seulement un sentier étroit qui s'élevait entre les masses énormes des rochers, des pics, monts et crêtes de toutes tailles et de formes diverses. Pour apercevoir la silhouette d'une voiture, entendre un coup de klaxon, signe de la civilisation, ou pour renifler l'odeur d'un restaurant, il fallait marcher pendant deux jours dans la montagne. Une centaine de kilomètres plus loin, au bord du fleuve Ya, s'étendait le petit bourg de Yong Jing ; c'était la ville la plus proche. Le seul Occidental à y avoir posé les pieds était un missionnaire français, le père Michel, alors qu'il cherchait un nouveau passage pour accéder au Tibet dans les années quarante.

«Le district de Yong Jing ne manque pas d'intérêt, notamment une de ses montagnes, qu'on appelle "le Phénix du Ciel", écrivit ce Jésuite dans son carnet de voyage. Une montagne connue pour son cuivre jaune, employé dans la fabrication de la monnaie ancienne. Au 1er siècle, un empereur de la dynastie des Han offrit, dit-on, cette montagne à son amant, l'un des chefs eunuques de son palais. Lorsque je posai les yeux sur ses pics d'une hauteur vertigineuse qui se dressaient de toutes parts, je vis un sentier étroit qui se hissait dans les fissures sombres des rochers en surplomb, et semblait se volatiliser dans la brume. Quelques coolies, chargés telles des bêtes de somme de gros ballots de cuivre, tenus sur leur dos par des lanières de cuir, descendaient de ce sentier. Mais l'on m'a dit que la production de cuivre était en déclin depuis fort longtemps, principalement à cause du manque de moyens de transport. À présent, la géographie particulière de cette montagne a conduit

ses habitants à cultiver l'opium. On m'a d'ailleurs déconseillé de mettre les pieds dans cette montagne : tous les cultivateurs d'opium
255 sont armés. Après la récolte, ils passent leur temps à attaquer les passants. Je me contentai donc de regarder de loin ce lieu sauvage et isolé, obscurci par une exubérance d'arbres géants, de plantes grimpantes, de végétation luxuriante, qui semblait l'endroit par excellence où un bandit eût pu surgir de l'ombre et bondir sur
260 les voyageurs. »

Le Phénix du Ciel comprenait une vingtaine de villages, dispersés dans les méandres de l'unique sentier, ou cachés dans les vallées sombres. Normalement, chaque village accueillait cinq ou six jeunes venus de la ville. Mais le nôtre, perché au sommet, et le
265 plus pauvre de tous, ne pouvait en prendre que deux en charge : Luo et moi. On nous installa justement dans la maison sur pilotis où le chef du village avait inspecté mon violon.

Ce bâtiment, qui appartenait au village, n'avait pas été conçu pour l'habitation. Au-dessous de la maison soulevée du sol par des
270 piliers en bois, se trouvait la porcherie où vivait une grosse truie, un patrimoine commun elle aussi. La maison proprement dite était en vieux bois brut, sans peinture, ni plafond, et servait d'entrepôt pour le maïs, le riz et les outils abîmés ; c'était aussi un endroit idéal pour les rendez-vous secrets des adultères.

275 Durant plusieurs années, la résidence de notre rééducation n'eut jamais de meubles, pas même une table ou une chaise, mais seulement deux lits improvisés, dressés contre un mur, dans une petite pièce sans fenêtre.

Néanmoins, notre maison devint rapidement le centre du vil-
280 lage : tout le monde y venait, y compris le chef, avec son œil gauche toujours maculé de trois gouttes de sang.

Tout cela grâce à un autre « phénix », tout petit, presque minuscule, plutôt terrestre, dont le maître était mon ami Luo.

*

17

En réalité, ce n'était pas un vrai phénix, mais un coq orgueilleux
à plumes de paon, d'une couleur verdâtre striée de raies bleu foncé.
Sous le verre un peu crasseux, il baissait rapidement la tête, et son
bec d'ébène pointu frappait un sol invisible tandis que l'aiguille
des secondes tournait lentement sur le cadran. Puis il relevait la
tête, le bec ouvert, et secouait son plumage, visiblement satisfait,
rassasié d'avoir picoré des grains de riz imaginaires.

Qu'il était petit, le réveil de Luo, avec son coq qui bougeait à
chaque seconde ! Grâce à sa taille sans doute, il avait échappé à
l'inspection du chef du village, lors de notre arrivée. Il était à peine
gros comme la paume d'une main, mais avec une jolie sonnerie,
pleine de douceur.

Avant nous, dans ce village, il n'y avait jamais eu ni réveil, ni
montre, ni horloge. Les gens avaient toujours vécu en regardant
le soleil se lever ou se coucher.

Nous fûmes surpris de voir comment le réveil prit sur les paysans un véritable pouvoir, presque sacré. Tout le monde venait le
consulter, comme si notre maison sur pilotis était un temple. Chaque
matin, c'était le même rituel : le chef faisait les cent pas autour de
chez nous, en fumant sa pipe en bambou, longue comme un vieux
fusil. Il ne quittait pas notre réveil des yeux. Et à neuf heures pile,
il donnait un coup de sifflet long et assourdissant, pour que tous
les villageois partent aux champs.

– C'est l'heure ! Vous m'entendez ? criait-il rituellement vers
les maisons dressées de toutes parts. C'est l'heure d'aller bosser,
bande de fainéants ! Qu'est-ce que vous attendez encore, rejetons
de couilles de bœuf !…

Ni Luo ni moi n'aimions trop aller travailler dans cette montagne
aux sentiers abrupts, étroits, qui montaient et montaient, jusqu'à
disparaître dans les nuages, des sentiers sur lesquels il était impossible de pousser un petit chariot, et où le corps humain représentait
le seul moyen de transport.

Ce qui nous effrayait le plus, c'était de porter la merde sur
le dos : des seaux en bois, semi-cylindriques, avaient été spéciale-
ment conçus et fabriqués pour transporter toutes sortes d'engrais,

humain ou animal ; tous les jours, on devait remplir ces « seaux à
320 dos » d'excréments mélangés à de l'eau, les charger sur son échine
et grimper jusqu'aux champs, souvent situés à une hauteur vertigineuse. À chacun de vos pas, vous entendiez le liquide merdeux
clapoter dans le seau, juste derrière vos oreilles. Le contenu puant
s'échappait petit à petit du couvercle, et se répandait en dégouli-
325 nant le long de votre torse. Chers lecteurs, je vous fais grâce des
scènes de chute car, comme vous pouvez l'imaginer, chaque faux
pas pouvait être fatal.

Un jour, au petit matin, à la pensée des seaux à dos qui nous
attendaient, nous n'eûmes vraiment pas envie de nous lever. Nous
330 étions encore au lit, lorsque nous entendîmes approcher les pas du
chef. Il était presque neuf heures, le coq mimait impassiblement
son repas quand, soudain, Luo eut une idée de génie : il leva son
petit doigt, et tourna les aiguilles du réveil en sens inverse, jusqu'à
le faire reculer d'une heure. Et nous continuâmes à dormir. Qu'elle
335 fut agréable, cette grasse matinée, d'autant qu'on savait que chef
attendait dehors en faisant les cent pas, sa longue pipe en bambou
à la bouche. Cette trouvaille audacieuse et fabuleuse effaça presque
notre rancune envers les ex-cultivateurs d'opium reconvertis en
« paysans pauvres » sous le régime communiste, qui étaient chargés
340 de notre rééducation.

Après ce matin historique, nous modifiâmes souvent les heures du réveil. Tout dépendait de notre état physique ou de notre
humeur. Quelquefois, au lieu de tourner les aiguilles en arrière,
nous les avancions d'une heure ou deux, pour finir plus tôt le
345 travail de la journée.

Ainsi, ne sachant plus vraiment quelle heure il était, nous finîmes
par perdre toute notion de l'heure réelle.

*

Il pleuvait souvent dans la montagne du Phénix du Ciel. Il y
pleuvait presque deux jours sur trois. Rarement des orages ou des
350 averses, mais des pluies fines, constantes et sournoises, des pluies

dont on eût dit qu'elles ne finiraient jamais. Les formes des pics et des rochers autour de notre maison sur pilotis s'estompaient dans un épais brouillard sinistre, et ce paysage mollement irréel nous donnait le cafard, d'autant qu'à l'intérieur de la maison nous vivions
355 dans l'humidité permanente, que la moisissure rongeait tout et nous encerclait chaque jour davantage. C'était pire que d'habiter au fond d'une cave.

La nuit, parfois, Luo n'arrivait pas à dormir. Il se levait, allumait la lampe à pétrole, et glissait sous son lit, à quatre pattes, dans
360 la semi-obscurité, à la recherche de quelques mégots qu'il y avait laissés tomber. Quand il en ressortait, il s'asseyait en tailleur sur le lit, rassemblait les mégots moisis dans un bout de papier (souvent une lettre précieuse de sa famille) et les faisait sécher à la flamme de la lampe à pétrole. Puis il secouait les mégots et recueillait les
365 brins de tabac avec une minutie d'horloger, sans en perdre une miette. Une fois sa cigarette fabriquée, il l'allumait, puis éteignait la lampe. Il fumait dans le noir, toujours assis, écoutant le silence de la nuit sur lequel se détachaient les grognements de la truie qui, juste au-dessous de notre chambre, fouillait le tas de fumier
370 de son groin.

De temps en temps, la pluie durait plus que d'habitude et la pénurie de cigarette se prolongeait. Une fois, Luo me réveilla en pleine nuit.

— Je ne trouve plus de mégot, ni sous le lit ni ailleurs.
375 — Et alors ?

— Je me sens déprimé, me dit-il. Tu ne voudrais pas me jouer un air de violon ?

Je m'exécutai aussitôt. En jouant, sans être vraiment lucide, je pensai soudain à nos parents, aux siens et aux miens : si le pneumo-
380 logue ou le grand dentiste qui avait accompli tant d'exploits avaient pu voir, cette nuit-là, la lueur de la lampe à pétrole osciller dans notre maison sur pilotis, s'ils avaient pu entendre cet air de violon, mêlé aux grognements de la truie… Mais il n'y avait personne. Pas même les paysans du village. Le plus proche voisin se trouvait au
385 moins à une centaine de mètres.

Dehors, il pleuvait. Par hasard, ce n'était pas la fine pluie habituelle, mais une pluie lourde, brutale, qu'on entendait frapper les tuiles du toit, au-dessus de nos têtes. Sans doute cela contribuait-il à rendre Luo encore plus dépressif : nous étions condamnés à passer toute notre vie en rééducation. Normalement, un jeune issu d'une famille normale, ouvrière ou intellectuelle révolutionnaire, qui ne faisait pas de bêtise, avait, selon les journaux officiels du Parti, cent pour cent de chances de finir sa rééducation en deux ans, avant de retourner en ville retrouver sa famille. Mais, pour les enfants des familles cataloguées comme « ennemies du peuple », l'opportunité du retour était minuscule : trois pour mille. Mathématiquement parlant, Luo et moi étions « foutus ». Nous restait la perspective réjouissante de devenir vieux et chauves, de mourir et de finir enveloppés du linceul blanc local, dans la maison sur pilotis. Il y avait vraiment de quoi se sentir déprimé, torturé, incapable de fermer les yeux.

Cette nuit-là, je jouai d'abord un morceau de Mozart, puis un de Brahms, et une sonate de Beethoven, mais même ce dernier ne réussit pas à remonter le moral de mon ami.

– Essaies-en un autre, me dit-il.

– Qu'est-ce que tu veux entendre ?

– Quelque chose de plus gai.

Je réfléchis, fouillai dans mon pauvre répertoire musical, mais ne trouvai rien.

Luo se mit alors à chantonner un refrain révolutionnaire.

– Comment tu trouves ça ? me demanda-t-il.

– Chouette.

Immédiatement, je l'accompagnai au violon. C'était une chanson tibétaine, dont les Chinois avaient changé les paroles pour en faire un éloge à la gloire du président Mao. Malgré cela, l'air avait conservé sa joie de vivre, sa force indomptable. L'adaptation n'était pas arrivée à le bousiller complètement. De plus en plus excité, Luo se dressa sur son lit, et se prit à danser en tournant sur lui-même, cependant que de grosses gouttes de pluie dégoulinaient à l'intérieur de la maison, par les tuiles du toit mal jointes.

Trois sur mille, songeai-je soudainement. Il me reste trois chances sur mille, et notre fumeur mélancolique, déguisé en danseur, en a encore moins. Un jour peut-être, lorsque je me serai perfectionné en violon, un petit groupe de propagande local ou régional, comme

425 celui du district de Yong Jing par exemple, m'ouvrira la porte et m'engagera à jouer des concertos rouges. Mais Luo ne sait pas jouer du violon, ni même au basket ou au football. Il ne dispose d'aucun atout pour entrer dans la concurrence affreusement rude des « trois pour mille ». Pire encore, il ne peut même pas en rêver.

430 Son unique talent consistait à raconter des histoires, un talent certes plaisant mais hélas marginal et sans beaucoup d'avenir. Nous n'étions plus à l'époque des *Mille et Une Nuits*. Dans nos sociétés contemporaines, qu'elles soient socialistes ou capitalistes, conteur n'est malheureusement plus une profession.

435 Le seul homme au monde à avoir véritablement apprécié ses talents de conteur, jusqu'à le rémunérer généreusement, fut le chef de notre village, le dernier des seigneurs amateurs de belles histoires orales.

La montagne du Phénix du Ciel était si éloignée de la civilisation que la plupart des gens n'avaient jamais eu l'occasion de voir un

440 film de leur vie, et ne savaient pas ce qu'était le cinéma. De temps en temps, Luo et moi avions raconté quelques films au chef, et il bavait d'en entendre plus. Un jour, il s'informa de la date de la projection mensuelle à la ville de Yong Jing, et décida de nous y envoyer, Luo et moi. Deux jours pour l'aller, deux jours pour le

445 retour. Nous devions voir le film le soir même de notre arrivée à la ville. Une fois rentrés au village, il nous faudrait raconter au chef et à tous les villageois le film entier, de A à Z, selon la durée exacte de la séance.

Nous avons relevé le défi mais, par prudence, nous avons assisté

450 à deux projections de suite, sur le terrain de sports du lycée de la ville, provisoirement transformé en cinéma en plein air. Les filles de la bourgade étaient ravissantes, mais nous restâmes essentiellement concentrés sur l'écran, attentifs à chaque dialogue, aux costumes des comédiens, à leurs moindres gestes, aux décors de chaque scène,

455 et même à la musique.

À notre retour au village, une séance sans précédent de cinéma oral eut lieu devant notre maison sur pilotis. Bien sûr, tous les villageois y assistèrent. Le chef était assis au milieu du premier rang, sa longue pipe en bambou dans une main, notre réveil du « phénix terrestre » dans l'autre, pour vérifier la durée de notre prestation.

Le trac s'empara de moi, je me vis réduit à exposer mécaniquement le décor de chaque scène. Mais Luo se montra un conteur de génie : il racontait peu, mais jouait tour à tour chaque personnage, en changeant sa voix et ses gestes. Il dirigeait le récit, ménageait le suspense, posait des questions, faisait réagir le public, et corrigeait les réponses. Il a tout fait. Lorsque nous, ou plutôt lorsqu'il termina la séance, juste dans le temps imparti, notre public, heureux, excité, n'en revenait pas.

– Le mois prochain, nous déclara le chef avec un sourire autoritaire, je vous enverrai à une autre projection. Vous serez payés la même somme que si vous aviez travaillé dans les champs.

Au début, cela nous sembla un jeu amusant ; jamais nous n'aurions imaginé que notre vie, au moins celle de Luo, allait basculer.

La princesse de la montagne du Phénix du Ciel portait une paire de chaussures rose pâle, en toile à la fois souple et solide, à travers laquelle on pouvait suivre les mouvements de ses orteils à chaque coup qu'elle donnait au pédalier de sa machine à coudre. Ces chaussures étaient ordinaires, bon marché, faites à la main, et cependant, dans cette région où presque tout le monde marchait pieds nus, elles sautaient aux yeux, semblaient raffinées et précieuses. Ses chevilles et ses pieds avaient une jolie forme, mise en valeur par des chaussettes en nylon blanc.

Une longue natte, grosse de trois ou quatre centimètres, tombait sur sa nuque, longeait son dos, dépassait ses hanches, et se terminait par un ruban rouge, flambant neuf, en satin et soie tressés.

Elle se penchait vers la machine à coudre, dont le plateau lisse reflétait le col de sa chemise blanche, son visage ovale, et l'éclat de ses yeux, sans doute les plus beaux du district de Yong Jing, sinon de toute la région.

Une immense vallée séparait son village du nôtre. Son père, l'unique tailleur de la montagne, ne restait pas souvent chez lui, dans cette vieille et grande demeure qui leur servait à la fois de boutique et de maison d'habitation. C'était un tailleur très demandé. Quand une famille voulait se faire faire de nouveaux habits, elle allait d'abord acheter du tissu dans un magasin de Yong Jing (la ville où nous avions assisté à la projection de cinéma), puis elle venait à sa boutique discuter avec lui de la façon, du prix et de la date qui lui convenait pour la fabrication des vêtements. Au jour

du rendez-vous, on venait le chercher dès le petit matin, respec-
tueusement, accompagné de plusieurs hommes robustes qui, tour
à tour, porteraient sur leur dos la machine à coudre.

Il en avait deux. La première, qu'il emmenait toujours avec lui
de village en village, était une vieille machine, sur laquelle on ne
lisait plus ni la marque ni le nom du fabricant. L'autre était neuve,
made in Shanghai, et il la laissait chez lui, pour sa fille, «la Petite
Tailleuse». Il n'emmenait jamais sa fille avec lui dans ses tournées,
et cette décision, sage mais impitoyable, faisait crever de déception
les nombreux jeunes paysans qui aspiraient à sa conquête.

Il menait une vie de roi. Lorsqu'il arrivait dans un village, l'ani-
mation qu'il y suscitait n'avait rien à envier à une fête folklorique.
La maison de son client, où retentissaient les bruits de sa machine
à coudre, devenait le centre du village, et c'était l'occasion pour
cette famille d'exhiber sa richesse. On cuisinait pour lui les meilleurs
repas, et parfois, si sa visite tombait à la fin de l'année et qu'on
préparait la fête du nouvel an, on tuait même le cochon. Logé à
tour de rôle chez ses divers clients, il passait souvent une ou deux
semaines d'affilée dans un village.

Un jour, Luo et moi allâmes voir le Binoclard, un ami de notre
ville, installé dans un autre village. Il pleuvait, nous avancions à
petits pas sur le sentier escarpé, glissant, enveloppé dans une brume
laiteuse. Malgré notre prudence, nous tombâmes plusieurs fois à
quatre pattes dans la boue. Soudain, après un tournant, nous vîmes
venir vers nous un cortège, en file indienne, avec une chaise à porteurs munie de brancards, sur laquelle trônait un homme d'une
cinquantaine d'années. Derrière cette chaise de seigneur, marchait
un homme chargé de la machine à coudre, attachée sur son dos par
des lanières. Le tailleur se pencha vers les porteurs de sa chaise, et
sembla s'informer sur notre compte.

Il me parut petit, maigre, ridé, mais plein d'énergie. Sa chaise,
une espèce de palanquin[1] simplifié, était ficelée sur deux grands

---

1. **Palanquin** : siège (ou litière) porté à bras d'hommes, parfois à dos d'animaux, en
usage dans certains pays orientaux.

bambous posés en équilibre sur les épaules de deux porteurs, qui marchaient l'un en avant, l'autre en arrière. On entendait grincer la chaise et les brancards, au rythme des pas lents et appuyés des porteurs.

535 Soudain, à l'instant où la chaise nous croisa, le tailleur se pencha vers moi, si près que je sentis son souffle :

– Way-o-lin ! cria-t-il de toutes ses forces en anglais.

Il éclata de rire en voyant que le coup de tonnerre fulgurant de sa voix me faisait sursauter. On eût dit un vrai seigneur capricieux.

540 – Savez-vous que, dans cette montagne, notre tailleur est l'homme qui a voyagé le plus loin ? nous demanda l'un des porteurs.

– Dans ma jeunesse, je suis même allé à Ya An, à deux cents kilomètres de Yong Jing, nous déclara le grand voyageur, sans nous laisser répondre. Mon maître avait accroché un instrument de musique

545 comme le vôtre, sur son mur, pour impressionner ses clients.

Puis il se tut, et son cortège s'éloigna.

À l'abord d'un tournant, juste avant de disparaître à notre vue, il se tourna vers nous et cria de nouveau :

– Way-o-lin !

550 Ses porteurs et les dix paysans de son cortège relevèrent lentement la tête et poussèrent un long cri, si déformé qu'il ressembla plus à un douloureux soupir qu'à un mot anglais :

– Way-o-lin !

Telle une bande de gamins espiègles, ils éclatèrent de rire comme

555 des fous. Puis ils se courbèrent vers la terre et s'ébranlèrent pour poursuivre leur route. Très vite, leur cortège fut englouti par le brouillard.

Quelques semaines plus tard, nous pénétrions dans la cour de sa maison. Un gros chien noir nous fixa du regard, sans aboyer. Nous entrâmes dans la boutique. Le vieux était parti en tournée, et nous

560 fîmes la connaissance de sa fille, la Petite Tailleuse, à laquelle nous demandâmes de rallonger le pantalon de Luo de cinq centimètres, car celui-ci, bien que mal nourri, en proie aux insomnies, et souvent angoissé par l'avenir, ne pouvait s'empêcher de grandir.

En se présentant à la Petite Tailleuse, Luo lui rapporta notre

565 rencontre avec son père, dans le brouillard et sous la pluie, sans

se priver d'imiter et d'exagérer affreusement le mauvais accent du vieux. Elle éclata d'un rire jovial. Chez Luo, les talents d'imitateur étaient héréditaires.

Je remarquai que, quand elle riait, ses yeux révélaient une nature primitive, comme ceux des sauvageonnes de notre village. Son regard avait l'éclat des pierres précieuses mais brutes, du métal non poli, et cet effet était encore accentué par ses longs cils et les coins finement retroussés de ses yeux.

– Ne soyez pas fâchés contre lui, nous dit-elle, c'est un vieux gamin.

Soudain, son visage s'assombrit, et elle baissa les yeux. Elle gratta le plateau de la machine à coudre du bout du doigt.

– Ma mère est morte trop tôt. Du coup, il ne fait que ce qui l'amuse.

Le contour de son visage hâlé était net, presque noble. Il y avait dans ses traits une beauté sensuelle, imposante, qui nous rendait incapables de résister à l'envie de rester là, à la regarder pédaler sur sa machine de Shanghai.

La pièce servait à la fois de boutique, d'atelier et de salle à manger ; le parquet en bois était sale, on voyait un peu partout des traces jaunes ou noires de crachats, laissés par des clients, et l'on devinait qu'il n'était pas lavé tous les jours. Les vêtements terminés étaient accrochés sur des cintres, suspendus sur une longue corde qui traversait la pièce en son milieu. Il y avait aussi des rouleaux de tissu et des vêtements pliés, entassés dans les coins, assaillis par une armée de fourmis. Le désordre, un manque de souci esthétique et une totale décontraction régnaient en ce lieu.

J'aperçus un livre qui traînait sur une table, et fus étonné par cette découverte, dans une montagne peuplée d'illettrés ; je n'avais pas touché une page de livre depuis une éternité. Je m'en approchai tout de suite, mais le résultat fut plutôt décevant : c'était un catalogue de couleurs de tissus, édité par une usine de teinture.

– Tu lis ? lui demandai-je.

– Pas beaucoup, me répondit-elle sans complexe. Mais ne me prenez pas pour une idiote, j'aime bien bavarder avec des gens qui savent lire et écrire, des jeunes de la ville. Vous n'avez pas remarqué? Mon chien n'a pas aboyé quand vous êtes entrés, il connaît mes goûts.

Elle semblait ne pas vouloir nous laisser partir tout de suite. Elle se leva de son tabouret, alluma un foyer métallique installé au milieu de la pièce, posa une marmite sur le feu et la remplit d'eau. Luo, qui la suivait des yeux à chacun de ses pas, lui demanda:

– Qu'est-ce que tu nous offres, du thé ou de l'eau bouillante?

– Plutôt la dernière solution.

C'était le signe qu'elle nous aimait bien. Dans cette montagne, si quelqu'un vous invitait à boire de l'eau, cela voulait dire qu'il allait casser des œufs dans l'eau bouillante, et y ajouter du sucre, pour faire une soupe.

– Tu sais, la Petite Tailleuse, lui dit Luo, que nous avons un point commun, toi et moi?

– Nous deux?

– Oui, tu veux qu'on parie?

– Qu'on parie quoi?

– Ce que tu veux. Je suis sûr que je peux te prouver qu'on a un point commun.

Elle réfléchit un petit moment.

– Si je perds, je rallonge ton pantalon gratuitement.

– D'accord, lui dit Luo. Maintenant, enlève la chaussure et la chaussette de ton pied gauche

Après un instant de flottement, elle s'exécuta, très curieuse. Son pied, plus timide qu'elle, mais très sensuel, nous dévoila d'abord sa ligne joliment découpée, puis une belle cheville, et des ongles luisants. Un pied petit, bronzé, légèrement diaphane, veiné de bleu.

Lorsque Luo mit son pied, sale, noirci, osseux, à côté de celui de la Petite Tailleuse, je vis effectivement une similitude: leur deuxième orteil était plus long que les autres.

*

Comme le chemin du retour était très long, nous partîmes vers trois heures de l'après-midi, pour atteindre notre village avant la tombée de la nuit.

Sur le sentier, je demandai à Luo :

635   – Elle te plaît, la Petite Tailleuse ?

Il poursuivit son chemin, tête baissée, sans me répondre tout de suite.

– Tu en es tombé amoureux ? lui demandai-je de nouveau.

– Elle n'est pas civilisée, du moins pas assez pour moi !

640 Une lueur se déplaçait péniblement au fond d'une longue galerie exiguë, d'un noir intense. De temps à autre, ce minuscule point lumineux oscillait, tombait, se rééquilibrait et avançait de nouveau. Quelquefois, la galerie descendait subitement, et la lueur disparaissait durant un long moment; on n'entendait alors plus que le
645 crissement d'un lourd panier traîné sur le sol caillouteux, et des grognements, poussés par un homme à chacun de ses efforts; ils résonnaient dans la complète obscurité, avec un écho qui portait à une distance prodigieuse.

Soudain, la lueur réapparaissait, tel l'œil d'une bête dont le
650 corps, englouti par le noir, marchait d'un pas flottant, comme dans un cauchemar.

C'était Luo, une lampe à huile fixée au front par une lanière, qui travaillait dans une petite mine de charbon. Lorsque le boyau était trop bas, il rampait à quatre pattes. Il était complètement nu,
655 sanglé d'une courroie de cuir, qui entrait profondément dans sa chair. Équipé de cet affreux harnais, il traînait un grand panier en forme de barque, chargé de gros blocs d'anthracite[1].

Quand il arriva à ma hauteur, je le relayai. Le corps nu, moi aussi, couvert de charbon jusqu'au moindre repli de ma peau, je
660 poussais le chargement au lieu de le tirer comme lui avec un harnais. Avant la sortie de la galerie, il fallait gravir une longue pente escarpée, mais le plafond était plus haut; Luo m'aidait souvent à

---

1. **Anthracite**: charbon naturel à forte teneur en carbone, noir et brillant.

monter, à sortir du tunnel, et parfois à déverser le contenu de notre panier contre un tas de charbon au-dehors : un nuage opaque de poussière se levait, dans lequel nous nous allongions par terre, complètement épuisés.

Jadis, la montagne du Phénix du Ciel, comme je l'ai déjà dit, était réputée pour ses mines de cuivre. (Elles eurent même l'honneur d'entrer dans l'histoire de la Chine en tant que cadeau généreux du premier homosexuel chinois officiel, un empereur.) Mais ces mines, depuis longtemps désaffectées, tombaient en ruine. Celles de charbon, petites, artisanales, restaient le patrimoine commun de tous les villages et étaient toujours exploitées, fournissant du combustible aux montagnards. Ainsi, comme les autres jeunes de la ville, Luo et moi ne pûmes échapper à cette leçon de rééducation qui allait durer deux mois. Même notre succès en matière de « cinéma oral » ne put retarder l'échéance.

À vrai dire, nous acceptâmes d'entrer dans cette épreuve infernale par envie de « rester dans la course », bien que notre chance de retourner en ville fût dérisoire, ne représentant qu'une probabilité de « trois sur mille ». Nous n'imaginions pas que cette mine allait laisser sur nous des traces noires indélébiles, physiquement et surtout moralement. Aujourd'hui encore, ces mots terribles, « la petite mine de charbon », me font trembler de peur.

À l'exception de l'entrée, où il y avait un tronçon d'une vingtaine de mètres dont le plafond bas était soutenu par des poutres et des piliers faits de grossiers troncs d'arbres sommairement équarris[1] et rudimentairement agencés, le reste de la galerie, c'est-à-dire plus de sept cents mètres de boyaux, ne disposait d'aucune protection. À chaque instant, les pierres risquaient de tomber sur nos têtes, et les trois vieux paysans-mineurs qui s'occupaient de creuser les parois du gisement nous racontaient sans arrêt des accidents mortels qui avaient eu lieu avant nous.

Chaque panier qu'on sortait du fond de la galerie devenait pour nous une sorte de roulette russe.

---

1. Équarri : taillé.

Un jour, au cours de la montée habituelle sur la longue pente, alors que nous poussions tous les deux le panier chargé de charbon, j'entendis Luo dire à côté de moi :

– Je ne sais pourquoi, depuis qu'on est ici, je me suis fourré
700 une idée dans la tête : j'ai l'impression que je vais mourir dans cette mine.

Sa phrase me laissa sans voix. Nous continuâmes notre chemin, mais je me sentis soudain trempé de sueur froide. À partir de cet instant, je fus contaminé par sa peur de mourir ici.

705 Nous habitions avec les paysans-mineurs dans un dortoir, une humble cabane de bois adossée au flanc de la montagne, encaissée sous une arête rocheuse en saillie. Chaque matin, quand je me réveillais, j'entendais des gouttes d'eau tomber du rocher, sur le toit fait de simples écorces d'arbres, et je me disais avec soulagement
710 que je n'étais pas encore mort. Mais, quand je quittais la cabane, je n'étais jamais sûr d'y revenir le soir. La moindre chose, par exemple une phrase déplacée des paysans, une plaisanterie macabre, ou un changement de temps, prenait à mes yeux une dimension d'oracle, devenait le signe annonciateur de ma mort.

715 Parfois, il m'arrivait, en travaillant, d'avoir des visions. Tout à coup, j'avais l'impression de marcher sur un sol mou, je respirais mal, et à peine réalisais-je que cela pouvait être la mort que je croyais voir mon enfance défiler à une vitesse folle dans ma tête, comme on le disait toujours des mourants. Le sol caoutchouteux se mettait
720 à s'étirer sous mes pieds à chacun de mes pas, puis, au-dessus de moi, un bruit assourdissant éclatait, comme si le plafond s'écroulait. Comme un fou, je rampais à quatre pattes, tandis que le visage de ma mère apparaissait sur fond noir devant mes yeux, bientôt relayé par celui de mon père. Cela durait quelques secondes, et la vision
725 furtive disparaissait : j'étais dans un boyau de la mine, nu comme un ver, poussant mon chargement vers la sortie. Je fixais le sol : sous la lumière vacillante de ma lampe à huile, je voyais une pauvre fourmi qui grimpait lentement, poussée par la volonté de survivre.

Un jour, vers la troisième semaine, j'entendis quelqu'un pleurer
730 dans la galerie, mais ne vis pourtant aucune lumière.

Ce n'était ni un sanglot d'émotion, ni le gémissement de douleur d'un blessé, mais des pleurs effrénés, versés à chaudes larmes dans l'obscurité totale. Répercutés par les parois, ces pleurs se transformaient en un long écho qui remontait du fond de la galerie, se fondait, se condensait, et finissait par faire partie de l'obscurité totale et profonde. C'était Luo qui pleurait, sans aucun doute.

Au bout de la sixième semaine, il tomba malade. Le paludisme[1]. Un midi, alors que nous mangions sous un arbre, face à l'entrée de la mine, il me dit qu'il avait froid. En effet, quelques minutes plus tard, sa main se mit à trembler si fort qu'il ne parvint plus à tenir ni ses baguettes ni son bol de riz. Quand il se leva pour gagner le dortoir et s'allonger sur un lit, il marcha d'un pas oscillant. Il y avait comme un flou dans ses yeux. Devant la porte grande ouverte de la cabane, il cria à quelqu'un d'invisible de le laisser entrer. Cela déclencha les rires des paysans-mineurs qui mangeaient sous l'arbre.

– À qui tu parles? lui dirent-ils. Il n'y a personne.

Cette nuit-là, malgré plusieurs couvertures et l'immense four à charbon qui chauffait la cabane, il se plaignit encore du froid.

Une longue discussion à voix basse s'engagea entre les paysans. Ils parlèrent d'emmener Luo au bord d'une rivière et de le pousser dans l'eau glacée, à son insu. Le choc était censé produire un effet salutaire immédiat. Mais cette proposition fut rejetée, de crainte de le voir se noyer en pleine nuit.

L'un des paysans sortit et revint avec deux branches d'arbre à la main, «une de pêcher, l'autre de saule», m'expliqua-t-il. Les autres arbres ne marchaient pas. Il fit se lever Luo, lui enleva sa veste et ses autres vêtements, et fouetta son dos nu avec les deux branches.

– Plus fort! criaient les autres paysans à côté. Si tu y vas trop doucement, tu ne chasseras jamais la maladie.

Les deux branches claquaient dans l'air l'une après l'autre, en alternance. La flagellation, devenue méchante, creusait des sillons rouge sombre dans la chair de Luo. Celui-ci, qui était éveillé, accueillait

---

1. Paludisme: maladie parasitaire assez fréquente dans certaines régions asiatiques et qui se manifeste par de violents accès de fièvre.

les coups sans réaction particulière, comme s'il avait assisté en rêve à une scène où l'on fouettait quelqu'un d'autre. Je ne savais pas ce
765 qui se passait dans sa tête, mais j'avais peur, et la petite phrase qu'il m'avait dite dans la galerie quelques semaines plus tôt me revenait à l'esprit, résonnait dans les bruits déchirants de la flagellation : « Je me suis fourré une idée dans la tête : j'ai l'impression que je vais mourir dans cette mine. »

770 Fatigué, le premier frappeur demanda à être relayé. Mais aucun candidat ne se manifesta. Le sommeil avait repris ses droits, les paysans avaient regagné leurs lits et voulaient dormir. Alors les branches de pêcher et de saule se retrouvèrent dans mes mains. Luo releva la tête. Son visage était pâle et son front perlé de fines
775 gouttelettes de sueur. Son regard absent croisa le mien :

– Vas-y, me dit-il d'une voix à peine audible.

– Tu ne veux pas te reposer un peu ? lui demandai-je. Vois comme tes mains tremblent. Tu ne les sens pas ?

– Non, dit-il en levant une main devant ses yeux pour l'examiner.
780 C'est vrai, je tremblote et j'ai froid, comme les vieux qui vont mourir.

Je trouvai un bout de cigarette au fond de ma poche, l'allumai et la lui tendis. Mais elle s'échappa aussitôt de ses doigts et tomba par terre.

– Putain ! Elle est si lourde, dit-il.
785 – Tu veux vraiment que je te frappe ?

– Oui, ça me réchauffera un peu.

Avant de le fouetter, je voulus d'abord ramasser la cigarette et le faire fumer un bon coup. Je me baissai, et pris le mégot qui n'était pas encore éteint. Soudain, quelque chose de blanchâtre me sauta
790 aux yeux ; c'était une enveloppe, qui traînait au pied du lit.

Je la ramassai. L'enveloppe, sur laquelle était écrit le nom de Luo, n'était pas décachetée. Je demandai aux paysans d'où elle venait. L'un d'eux me répondit de son lit qu'un homme l'avait déposée voilà quelques heures, en venant acheter du charbon.

795 Je l'ouvris. La lettre, d'à peine une page, était écrite au crayon, d'une écriture tantôt dense, tantôt espacée ; les traits des caractères étaient souvent mal dessinés, mais il émanait de cette maladresse

une douceur féminine, une sincérité enfantine. Lentement, je la lus à Luo :

800   *Luo le conteur de films,*

    Ne te moque pas de mon écriture. Je n'ai jamais étudié au collège, comme toi. Tu sais bien que le seul collège proche de notre montagne, c'est celui de la ville de Yong Jing, et qu'il faut deux jours pour y aller. C'est mon père qui m'a appris à lire et à écrire. Tu peux me
805   *ranger dans la catégorie des «fin d'études primaires».*

    Récemment, j'ai entendu dire que tu racontais merveilleusement bien les films, avec ton copain. Je suis allée en parler au chef de mon village, et il est d'accord pour envoyer deux paysans à la petite mine, vous remplacer pendant deux jours. Et vous, vous viendrez
810   *dans notre village nous raconter un film.*

    Je voulais monter à la mine pour vous annoncer la nouvelle, mais on m'a dit que là-bas, les hommes sont tout nus, et que c'est un endroit interdit pour les filles.

    Quand je pense à la mine, j'admire ton courage. La seule chose
815   *que j'espère, c'est qu'elle ne s'écroulera pas, Je vous ai gagné deux jours de repos, c'est-à-dire deux jours de risques en moins.*

    À bientôt. Dis bonjour à ton ami le violoniste.

                    La Petite Tailleuse
                      Le 08-07-1972

820   *J'ai déjà fini mon petit mot, mais je pense à une chose marrante à te raconter : depuis votre visite, j'ai vu plusieurs personnes qui ont aussi le deuxième orteil du pied plus long que le pouce, comme nous. Je suis déçue, mais c'est la vie.*

Nous décidâmes de choisir l'histoire de *La Petite Marchande de fleurs*.

Des trois films que nous avions vus sur le terrain de basket de la ville de Yong Jing, le plus populaire était un mélodrame nord-coréen, dont le personnage principal s'appelait «la fille aux fleurs». Nous l'avions raconté aux paysans de notre village et, à la fin de la séance, lorsque je prononçai la phrase finale en imitant la voix off sentimentale et fatale, avec une légère vibration de gorge : «Le proverbe dit : un cœur sincère pourrait même faire s'épanouir une pierre. Pourtant, le cœur de la fille aux fleurs n'était-il pas assez sincère ?», l'effet fut aussi grandiose que lors de la vraie projection. Tous nos auditeurs pleurèrent ; même le chef du village, si dur fût-il, ne put contenir la chaude effusion des larmes qui coulaient de son œil gauche, toujours marqué de trois gouttes de sang.

En dépit de ses accès récurrents de fièvre, Luo, qui se considérait déjà convalescent, partit avec moi pour le village de la Petite Tailleuse, avec l'ardeur d'un véritable conquérant. Mais en chemin, il eut une nouvelle crise de paludisme.

Malgré les rayons du soleil qui frappaient son corps de leur éclat, il me dit qu'il sentait le froid le gagner de nouveau. Et lorsqu'il fut assis près du feu que je réussis à faire avec des branches d'arbre et des feuilles mortes, le froid, au lieu de diminuer, lui devint insupportable.

– On continue, me dit-il en se levant. (Ses dents crissaient.)

Tout le long du sentier, nous entendîmes le bruissement d'un torrent, des cris de singes et autres bêtes sauvages. Peu à peu, Luo connut la fâcheuse alternance du froid et du chaud. Quand je le vis marcher en vacillant vers la falaise profonde qui s'étendait sous nos pieds, que je vis des mottes de terre s'ébouler sur son passage et tomber si profond qu'il fallait attendre longtemps avant de percevoir le bruit de leur chute, je l'arrêtai et le fis s'asseoir sur un rocher, pour attendre que sa fièvre passe.

À notre arrivée chez la Petite Tailleuse, nous apprîmes heureusement que son père était de nouveau en déplacement. Comme la fois précédente, le chien noir vint nous flairer sans aboyer.

Luo entra avec un visage plus coloré qu'un fruit vermeil ; il délirait. La crise de paludisme avait provoqué en lui de tels ravages que la Petite Tailleuse en fut choquée. Immédiatement, elle fit annuler la séance de « cinéma oral », et installa Luo dans sa chambre, sur son lit entouré d'une moustiquaire blanche. Elle enroula sa longue natte au sommet de sa tête et en fit un très haut chignon. Puis elle ôta ses chaussures roses et, pieds nus, courut dehors.

– Viens avec moi, me cria-t-elle. Je connais quelque chose de très efficace pour ça.

C'était une plante vulgaire, qui poussait au bord d'un petit ruisseau, non loin de son village. Elle ressemblait à un arbuste d'à peine une trentaine de centimètres de haut, avec des fleurs rose vif dont les pétales, qui évoquaient ceux des fleurs de pêcher, en plus grand, se reflétaient dans les eaux limpides et peu profondes du ruisseau. La partie médicamenteuse de la plante, et la Petite Tailleuse en recueillit beaucoup, était ses feuilles, anguleuses, pointues, en forme de pattes de canard.

– Comment s'appelle cette plante ? lui demandai-je.

– « Les éclats de bol cassé ».

Elle les pila dans un mortier en pierre blanche. Quand elles furent réduites en une espèce de pâte verdâtre, elle en enduisit le poignet gauche de Luo qui, bien qu'encore délirant, recouvra une certaine logique de pensée. Il la laissa panser son poignet, autour duquel elle enroula une longue bande de lin blanc.

Vers le soir, la respiration de Luo s'apaisa, et il s'endormit.

– Est-ce que tu crois à ces choses…, me demanda la Petite Tailleuse
885 d'une voix hésitante.

– Quel genre de choses ?

– Celles qui ne sont pas tout à fait naturelles.

– Des fois oui, des fois non.

– On dirait que tu as peur que je te dénonce.

890 – Pas du tout.

– Alors ?

– À mon avis, on ne peut ni les croire entièrement, ni les nier
complètement.

Elle eut l'air satisfaite de ma position. Elle jeta un coup d'œil
895 sur le lit où dormait Luo, et me demanda :

– Le père de Luo est quoi ? Bouddhiste ?

– Je ne sais pas. Mais c'est un grand dentiste.

– C'est quoi, un dentiste ?

– Tu ne sais pas ce qu'est un dentiste ? Celui qui soigne les
900 dents.

– Sans blague ? Tu veux dire qu'il peut enlever les vers cachés
dans les dents qui font mal ?

– C'est cela, lui répondis-je sans rire. Je vais même te dire un
secret, mais il faut que tu jures de ne le répéter à personne.

905 – Je le jure…

– Son père, lui dis-je en baissant la voix, a enlevé les vers des
dents du président Mao.

Après un instant de silence respectueux, elle me demanda :

– Si je fais venir des sorcières pour veiller sur son fils cette nuit,
910 il ne sera pas fâché ?

Vêtues de longs jupons noirs et bleus, les cheveux piqués de fleurs,
des bracelets en jade aux poignets, quatre vieilles femmes, venues
de trois villages différents, se rassemblèrent vers minuit autour de
Luo, dont le sommeil était toujours agité. Chacune assise à un coin
915 du lit, elles l'observaient à travers la moustiquaire. Il était difficile
de dire laquelle était la plus ridée, la plus laide, celle qui ferait le
plus peur aux mauvais esprits.

L'une d'elles, sans doute la plus rabougrie, tenait un arc et une flèche à la main.

920 — Je te garantis, me dit-elle, que le mauvais esprit de la petite mine qui a fait souffrir ton copain n'osera pas venir ici cette nuit. Mon arc vient du Tibet, et ma flèche a une pointe d'argent. Quand je la lance, elle est pareille à une flûte volante, elle siffle en l'air et va percer la poitrine des démons, quelle que soit leur puissance.

925 Mais leur grand âge et l'heure tardive n'arrangèrent pas l'affaire. Peu à peu, elles se mirent à bâiller. Et malgré le thé fort que notre hôtesse leur fit boire, le sommeil les gagna. La propriétaire de l'arc s'endormit elle aussi. Elle posa son arme sur le lit, puis ses paupières flasques et maquillées se fermèrent lourdement.

930 — Réveille-les, me dit la Petite Tailleuse. Raconte-leur un film.

— Quel genre ?

— Aucune importance. Il faut juste les maintenir éveillées…

Je commençai alors la séance la plus étrange de ma vie. Devant le lit où mon ami était tombé dans une sorte d'assoupissement, je 935 racontai le film nord-coréen, pour une jolie fille et quatre vieilles sorcières éclairées par une lampe à pétrole qui vacillait, dans un village encaissé entre de hautes montagnes.

Je me débrouillai tant bien que mal. En quelques minutes, l'histoire de cette pauvre « fille aux fleurs » gagna l'attention de mes 940 auditrices. Elles posèrent même quelques questions ; plus le récit avançait, moins elles clignaient des yeux.

Cependant, la magie ne fut pas la même qu'avec Luo. Je n'étais pas né conteur. Je n'étais pas lui. Au bout d'une demi-heure, alors que « la fille aux fleurs » s'était donné tant de mal pour trouver 945 un peu d'argent, elle arrivait en courant à l'hôpital, mais sa mère était morte, après avoir crié désespérément le nom de sa fille. Un vrai film de propagande. Normalement, c'était là le premier point culminant du récit. Que ce fût à la projection du film ou dans notre village, quand nous l'avions raconté, les gens avaient tou-950 jours pleuré à ce moment précis. Peut-être les sorcières étaient-elles faites d'une étoffe différente. Elles m'écoutèrent attentivement, avec une certaine émotion, je sentis même un petit frisson leur parcourir l'échine, mais les larmes ne furent pas au rendez-vous.

955 Déçu par ma performance, j'ajoutai le détail de la main de la fille qui tremblait, des billets qui glissaient de ses doigts… Mais mes auditrices résistaient.

Soudain, de l'intérieur de la moustiquaire blanche, s'éleva une voix qu'on aurait dite sortie du fond d'un puits.

960 – Le proverbe dit, vibra la gorge de Luo, qu'un cœur sincère peut faire s'épanouir une pierre. Mais dites-moi, est-ce que le cœur de cette « fille aux fleurs » n'était pas assez sincère ?

Je fus davantage frappé par le fait que Luo avait prononcé trop tôt la phrase finale du film que par son réveil brutal. Mais quelle surprise, quand je regardai autour de moi : les quatre sorcières

965 pleuraient ! Leurs larmes jaillissaient, majestueusement, faisant s'écrouler les barrages, se transformant en torrent sur leurs visages usés, ravinés.

Quel talent de conteur que celui de Luo ! Il pouvait manipuler le public en changeant simplement la place d'une voix off, alors

970 même qu'il était terrassé par un violent accès de paludisme.

Au fur et à mesure que le récit avançait, j'eus l'impression que quelque chose avait changé chez la Petite Tailleuse, et je réalisai que ses cheveux n'étaient plus tressés en longue natte, mais détachés en une toison luxuriante, une crinière somptueuse cascadant sur ses

975 épaules. Je devinai ce que Luo avait fait, en promenant sa main fiévreuse hors de la moustiquaire. Soudain, un courant d'air fit vaciller la flamme de la lampe à pétrole et, à l'instant où elle s'éteignit, je crus voir la Petite Tailleuse soulever un pan de la moustiquaire, se pencher vers Luo dans le noir, et lui donner un baiser furtif.

980 Une des sorcières ralluma la lampe, et je continuai encore longtemps à raconter l'histoire de la fille coréenne. Les effusions larmoyantes des femmes, mêlées à la morve coulant de leurs narines et aux bruits de mouchage, ne cessèrent plus.

Pour comprendre l'essentiel

L'importance du contexte

1 Le titre suscite des attentes. Explicitez-les et dites si ce premier chapitre les éclaire.

2 Les deux jeunes gens sont envoyés à la campagne. Expliquez pourquoi en vous renseignant sur la Révolution culturelle.

3 La vie de ces villages de montagne mêle éléments imposés par le communisme et pratiques traditionnelles. Montrez que son organisation est imposée par le régime communiste mais qu'il y subsiste des éléments hérités de la culture populaire traditionnelle.

Amour et amitié

4 Ce chapitre introduit les trois protagonistes principaux. Faites leur portrait en vous appuyant sur les traits physiques et les traits de caractère qui nous sont dévoilés.

5 Certains éléments peuvent nous amener à penser, à la fin de ce chapitre, que l'amitié sera peut-être menacée par l'amour. Relevez-les.

6 Le contexte historique (voir la fiche n°2, p. 166) est important mais ce premier chapitre inscrit nettement le texte dans le genre du roman d'apprentissage* et non du roman historique*. Montrez que les deux garçons sont déjà confrontés à des épreuves qui pourraient bien les faire grandir.

Deux talentueux conteurs

7 Le récit nous présente Luo comme un « conteur de génie » (p. 23), par opposition à son camarade qui n'est « pas né conteur » (p. 39). Dites qui est le narrateur de cette histoire.

8 À la manière de Luo qui manipule le temps à sa guise avec son réveil, le narrateur joue avec la temporalité, ne respectant pas toujours l'ordre chronologique des événements. Montrez-le en relevant, en particulier, un retour en arrière aménagé dans le début du récit (analepse*).

9 Le narrateur varie les effets : surprise, suspense, émotion, humour. Montrez-le en vous appuyant sur des passages précis.

10 Le narrateur intervient parfois dans son récit pour le commenter. Relevez deux ou trois exemples de ces interventions.

Rappelez-vous !

• Ce premier chapitre permet de **situer précisément l'action du roman** (dans un village de montagne en Chine, pendant la Révolution culturelle) et nous présente les trois personnages principaux : les deux jeunes gens envoyés en rééducation et la petite tailleuse qui donne son nom à l'œuvre (éponyme*).

• Le récit, mené à la **première personne** et au **passé**, est pris en charge par un narrateur qui est aussi l'un des protagonistes et qui n'est pas dépourvu de points communs avec l'auteur du roman (voir les fiches nos 1 et 2, p. 165 et 166). Pour autant, cette œuvre ne relève pas plus de l'autobiographie que du roman historique mais du **récit d'apprentissage**. Envoyés dans un village de montagne pour y faire leur rééducation, c'est bien plutôt leur éducation que vont faire les jeunes hommes : éducation à la vie, à la littérature et, on le devine déjà, à l'amour.

Les mots ou les expressions suivis d'un astérisque se trouvent dans le glossaire (p. 202-203).

Vers l'oral du Bac

Analyse des pages 14 à 15, lignes 171 à 217

☛ Montrer le double intérêt de cet extrait : du point de vue de l'intrigue romanesque et d'un point de vue plus politique

Conseils pour la lecture à voix haute

– Vous devrez vous être entraîné(e) à lire à haute voix chacun des textes que vous présentez pour l'oral du baccalauréat : ne donnez surtout pas l'impression de découvrir l'extrait.

– Lorsque le texte présente des éléments de dialogue, on attend de vous que vous marquiez votre compréhension de la situation et de ses enjeux par le ton approprié. Il faudra donc ici marquer nettement la différence entre les éléments de narration (lecture lente, voix assez neutre), les interventions de l'homme au haut-parleur (qui crie et menace) et du père de Luo (qui parle d'une voix faible et tremblante). Attention cependant à ne pas trop en faire : vous n'êtes pas sur une scène de théâtre !

Analyse du texte

▓ Introduction rédigée

Balzac et la Petite Tailleuse chinoise, roman publié en 2000 par le cinéaste et écrivain Dai Sijie, est le récit de la rééducation subie par deux jeunes garçons, Luo et le narrateur, pendant la Révolution culturelle de Mao Zedong. Le premier chapitre de ce roman décrit l'arrivée des deux protagonistes dans le village de montagne où ils ont été envoyés. Une analepse* permet au narrateur de revenir sur l'épisode le plus douloureux de leur amitié, une scène de dénonciation publique des «crimes» du père de Luo, coupable d'être une «puante autorité savante» et d'avoir soigné les dents de Jiang Jieshi, l'ennemi de Mao. Cet extrait nous permet de saisir les enjeux du roman à un double niveau: celui des personnages, puisque le récit nous livre la description d'une mise à l'épreuve de l'amitié; et celui des circonstances historiques, où l'on constate que le texte dénonce sans ambiguïté le règne de la violence et de l'arbitraire.

■ *Analyse guidée*

I. Une mise à l'épreuve de l'amitié

a. La relation d'amitié qui unit les deux garçons est présentée, au début du texte, comme idéale. Montrez-le.

b. Le geste de Luo est brutal et inattendu. Précisez comment vous pouvez l'expliquer.

c. Le dénouement de cette scène est aussi surprenant pour l'ami de Luo que pour le lecteur. Dites en quoi il est déroutant.

II. Une scène d'humiliation

a. La mise en scène spectaculaire de cette dénonciation publique contraste avec le prétendu «crime» du père de Luo. Mettez ce décalage en évidence.

b. Ce texte met en scène des accusateurs sadiques et brutaux. Relevez les détails du passage qui le montrent.

c. Cette scène présente des caractéristiques du fonctionnement des régimes totalitaires. Montrez-le en relevant les manifestations de la manipulation du peuple, de la violence physique et psychologique.

■ *Conclusion rédigée*

Cet extrait est l'un des rares passages du roman de Dai Sijie où l'on assiste à une scène politique et collective. Dans la description de l'amitié qui unit les deux garçons comme dans l'évocation de pratiques brutales et injustes, l'auteur refuse de s'installer dans le registre pathétique. Il coupe court à l'émotion mais la condamnation des procédés autoritaires habituels pendant la Révolution culturelle n'en est que plus ferme et convaincante.

Les trois questions de l'examinateur

Question 1. Cette scène est présentée comme une mise à l'épreuve de l'amitié entre les deux garçons. Pouvez-vous parler de cette relation d'amitié dans le roman ?

Question 2. Cet extrait constitue une dénonciation claire des méthodes violentes et arbitraires employées par le régime chinois durant la Révolution culturelle. Selon vous, ce roman est-il un roman engagé ?

Question 3. Cette description d'une scène d'humiliation publique constitue aussi une dénonciation. Connaissez-vous d'autres textes narratifs qui visent à dénoncer des injustices ?

Le Binoclard possédait une valise secrète, qu'il dissimulait soigneusement.

Il était notre ami. (Souvenez-vous, j'ai déjà mentionné son nom en rapportant notre rencontre avec le père de la Petite Tailleuse, sur le chemin qui nous menait chez le Binoclard.) Le village où il était rééduqué était plus bas que le nôtre sur le flanc de la montagne du Phénix du Ciel. Souvent, le soir, Luo et moi allions faire la cuisine chez lui, quand on trouvait un morceau de viande, une bouteille d'alcool, ou qu'on réussissait à voler de bons légumes dans les potagers des paysans. Nous partagions toujours avec lui, comme si nous avions formé une bande à trois. Qu'il nous cache l'existence de cette valise mystérieuse nous surprit d'autant plus.

Sa famille habitait dans la ville où travaillaient nos parents ; son père était écrivain, et sa mère, poétesse. Récemment disgraciés tous les deux par les autorités, ils laissaient « trois chances sur mille » à leur fils bien-aimé ; ni plus ni moins que Luo et moi. Mais face à cette situation désespérée, qu'il devait à ses géniteurs, le Binoclard, qui avait dix-huit ans, était presque constamment en proie à la peur.

Avec lui, tout prenait la couleur du danger. Nous avions l'impression d'être trois malfaiteurs, réunis chez lui autour d'une lampe à pétrole, en train de tramer quelque complot. Prenons les repas, par exemple : si quelqu'un frappait à sa porte alors que nous étions enveloppés dans l'odeur et la fumée d'un précieux plat de viande cuisiné par nous-mêmes, et qui plongeait les trois affamés que nous étions dans un plaisir voluptueux, cela lui filait toujours une trouille extraordinaire.

Il se levait, cachait aussitôt le plat de viande dans un coin, comme si c'était le produit d'un vol, et le remplaçait par un pauvre plat de légumes marinés, mousseux, puants ; manger de la viande lui paraissait un crime propre à la bourgeoisie dont sa famille faisait partie.

30   Le lendemain de la séance de cinéma oral avec les quatre sorcières, Luo se sentit un peu mieux et voulut rentrer au village. La Petite Tailleuse n'insista pas trop pour nous garder chez elle, j'imagine qu'elle était morte de fatigue.

    Après le petit déjeuner, Luo et moi reprîmes le chemin solitaire.
35 Au contact de l'air humide du matin, nos visages brûlants ressentirent une agréable fraîcheur. Luo fumait en marchant. Le sentier descendait lentement, puis remontait. J'aidais le malade de la main, car la pente était raide. Le sol était mou et humide ; au-dessus de nos têtes, les branches s'entremêlaient. En passant devant le village
40 du Binoclard, nous le vîmes travailler dans une rizière ; il labourait la terre, avec une charrue et un buffle.

    On ne voyait pas de sillons dans la rizière irriguée, car une eau calme en couvrait la boue pure, bien grasse, profonde de cinquante centimètres. Torse nu, en culotte, notre laboureur se déplaçait en
45 s'enfonçant jusqu'aux genoux dans la boue, derrière le buffle noir qui traînait péniblement la charrue. Les premiers rayons du soleil frappaient ses lunettes de leur éclat.

    Le buffle avait une taille normale mais une queue d'une longueur inhabituelle, qu'il remuait à chaque pas, comme s'il faisait
50 exprès d'envoyer de la boue et autres saletés sur le visage de son gentil maître peu expérimenté. Et, malgré ses efforts pour esquiver les coups, une seconde d'inattention suffit pour que la queue du buffle le frappe au visage de plein fouet, et envoie voler ses lunettes en l'air. Le Binoclard lança un juron, les rênes s'échappèrent de
55 sa main droite, et la charrue de sa main gauche. Il porta les deux mains à ses yeux, poussa des cris et hurla des vulgarités, comme brusquement frappé de cécité.

    Il était tellement en colère qu'il n'entendit pas nos appels pleins d'affection et de joie de le retrouver. Il souffrait d'une grave myopie
60 et, même en écarquillant les yeux tant qu'il pouvait, il était inca-

pable de nous reconnaître à vingt mètres de distance, et de nous distinguer des paysans qui travaillaient dans les rizières voisines, et se payaient sa tête.

Penché au-dessus de l'eau, il y plongea les mains, et tâtonna dans la boue autour de lui, en aveugle. Ses yeux, qui avaient perdu toute expression humaine, saillants, comme gonflés, me faisaient peur.

Le Binoclard avait dû réveiller l'instinct sadique de son buffle. Celui-ci, traînant la charrue derrière lui, revint sur ses pas. Il semblait avoir l'intention de fouler aux pieds les lunettes arrachées, ou de les briser avec le soc pointu de la charrue.

J'enlevai mes chaussures, retroussai mon pantalon et entrai dans la rizière en laissant mon malade assis au bord du sentier. Et, bien que le Binoclard ne voulût pas que je me mêle à ses recherches déjà compliquées, ce fut moi qui, tâtonnant dans la boue, marchai sur ses lunettes. Heureusement, elles n'étaient pas cassées.

Lorsque le monde extérieur redevint pour lui clair et net, le Binoclard fut surpris de voir dans quel état le paludisme avait mis Luo.

– T'es bousillé, ma parole ! lui dit-il.

Comme le Binoclard ne pouvait quitter son travail, il nous proposa d'aller nous reposer chez lui, jusqu'à son retour.

Sa maison se trouvait au milieu du village. Il possédait si peu d'affaires personnelles, et avait un tel souci d'afficher sa totale confiance envers les paysans révolutionnaires, qu'il ne fermait jamais sa porte à clé. La maison, un ancien entrepôt à grains, était montée sur pilotis, comme la nôtre, mais avec une terrasse soutenue par de gros bambous, sur laquelle on faisait sécher des céréales, des légumes ou des piments. Luo et moi nous installâmes sur la terrasse pour profiter du soleil. Puis il disparut derrière les montagnes, et il se mit à faire froid. Une fois sa sueur séchée, le dos, les bras et les jambes maigres de Luo devinrent glacials. Je trouvai un vieux pull-over du Binoclard, le lui mis sur le dos, et enroulai les manches autour de son cou, comme une écharpe.

Malgré le retour du soleil, il continua à se plaindre d'avoir froid. Je retournai dans la chambre, m'approchai du lit et pris une couverture quand, soudain, j'eus l'idée de regarder s'il y avait un autre

pull-over quelque part. Sous le lit, je découvris une grosse caisse en bois, comme une caisse d'emballage pour les marchandises de peu de valeur, une caisse de la grandeur d'une valise, mais plus profonde. Plusieurs paires de baskets, de chaussons abîmés, couverts de boue
100 et de saleté, étaient entassées dessus.

Quand je l'eus ouverte dans les rayons de lumière où dansait la poussière, elle se révéla effectivement pleine de vêtements.

En fouillant à la recherche d'un pull-over plus petit que les autres, que le corps maigrichon de Luo pourrait remplir, mes doigts
105 butèrent soudain sur quelque chose de doux, de souple et de lisse, qui me fit aussitôt penser à des chaussures de femme en daim.

Mais non ; c'était une valise, que faisaient scintiller quelques rayons de soleil, une valise élégante, en peau usée mais délicate. Une valise de laquelle émanait une lointaine odeur de civilisation.
110 Elle était fermée à clé en trois endroits. Son poids était un peu étonnant par rapport à sa taille, mais il me fut impossible de savoir ce qu'elle contenait.

J'attendis la tombée de la nuit, quand le Binoclard fut enfin libéré du combat avec son buffle, pour lui demander quel trésor il
115 cachait si minutieusement dans cette valise.

À ma surprise, il ne me répondit pas. Tout le temps que nous fîmes la cuisine, il resta plongé dans un mutisme inhabituel, et se garda surtout de prononcer le moindre mot sur sa valise.

Au cours du repas, je remis la question sur le tapis. Mais il n'en
120 dit pas davantage.

– Je suppose que ce sont des livres, dit Luo en rompant le silence. La façon dont tu la caches et la cadenasses avec des serrures suffit à trahir ton secret : elle contient sûrement des livres interdits.

Une lueur de panique passa dans les yeux du Binoclard, puis
125 elle disparut sous les verres de ses lunettes, tandis que son visage se transformait en un masque souriant.

– Tu rêves, mon vieux, dit-il.

Il tendit la main vers Luo et la posa sur sa tempe :

– Mon Dieu, quelle fièvre ! C'est pour ça que tu délires, et que tu
130 as des visions aussi idiotes. Écoute, on est de bons amis, on s'amuse

bien ensemble, mais si tu commences à raconter des conneries sur les livres interdits, merde alors…

Après ce jour-là, le Binoclard acheta chez un voisin un cadenas en cuivre, et prit toujours la précaution de fermer sa porte avec une chaîne qui passait par l'arceau métallique de la serrure.

Deux semaines plus tard, «les éclats de bol cassé» de la Petite Tailleuse avaient eu raison du paludisme de Luo. Quand il ôta le pansement qui entourait son poignet, il y découvrit une ampoule, grosse comme un œuf d'oiseau, transparente et brillante. Elle se ratatina peu à peu, et lorsqu'il ne resta plus qu'une cicatrice noire sur sa peau, ses crises cessèrent complètement. Nous fîmes un repas chez le Binoclard pour fêter sa guérison. Cette nuit-là, nous dormîmes chez lui, tous les trois serrés dans son lit, sous lequel se trouvait toujours la caisse en bois, comme je le vérifiai, mais plus la valise en cuir.

*

La vigilance accrue du Binoclard et sa méfiance à notre égard, en dépit de notre amitié, accréditaient l'hypothèse de Luo : la valise était sans doute remplie de livres interdits. Nous en parlions souvent, Luo et moi, sans parvenir à imaginer de quel genre de livres il s'agissait. (À l'époque, tous les livres étaient interdits, à l'exception de ceux de Mao et de ses partisans, et des ouvrages purement scientifiques.) Nous établîmes une longue liste de livres possibles : les romans classiques chinois, depuis *Les Trois Royaumes combattants* jusqu'au *Rêve dans le Pavillon Rouge*, en passant par le *Jin Ping Mei*, réputé pour être un livre érotique. Il y avait aussi la poésie des dynasties des Tang, des Song, des Ming, ou des Qin. Ou encore les peintures traditionnelles de Zu Da, de Shi Tao, de Tong Qicheng… On évoqua même la Bible, *Les Paroles des Cinq Vieillards*, un livre prétendument interdit depuis des siècles, dans lequel cinq immenses prophètes de la dynastie des Han révélaient, au sommet d'une montagne sacrée, ce qui allait arriver dans les deux mille ans à venir.

Souvent, après minuit, on éteignait la lampe à pétrole dans notre maison sur pilotis, et on s'allongeait chacun sur son lit pour

fumer dans le noir. Des titres de livres fusaient de nos bouches, il y avait dans ces noms des mondes inconnus, quelque chose de
165 mystérieux et d'exquis dans la résonance des mots, dans l'ordre des caractères, à la manière de l'encens tibétain, dont il suffisait de prononcer le nom, « Zang Xiang », pour sentir le parfum doux et raffiné, pour voir les bâtons aromatiques se mettre à transpirer, à se couvrir de véritables gouttes de sueur qui, sous le reflet des
170 lampes, ressemblaient à des gouttes d'or liquide.

– Tu as déjà entendu parler de la littérature occidentale ? me demanda un jour Luo.

– Pas trop. Tu sais que mes parents ne s'intéressent qu'à leur boulot. En dehors de la médecine, ils ne connaissent pas grand-chose
175 – C'est pareil pour les miens. Mais ma tante avait quelques bouquins étrangers traduits en chinois, avant la Révolution culturelle. Je me souviens qu'elle m'avait lu quelques passages d'un livre qui s'appelait *Don Quichotte*, l'histoire d'un vieux chevalier assez marrant.

– Et maintenant, où ils sont, ces livres ?
180 – Partis en fumée. Ils ont été confisqués par les Gardes rouges, qui les ont brûlés en public, sans aucune pitié, juste en bas de son immeuble.

Pendant quelques minutes, nous fumâmes dans le noir, tristement silencieux. Cette histoire de littérature me déprimait à mort :
185 nous n'avions pas de chance. À l'âge où nous avions enfin su lire couramment, il n'y avait déjà plus rien à lire. Pendant plusieurs années, au rayon « littérature occidentale » de toutes les librairies, il n'y eut que les Œuvres complètes du dirigeant communiste albanais Enver Hoxha, sur les couvertures dorées desquelles on voyait le
190 portrait d'un vieil homme à cravate de couleurs criardes, avec des cheveux gris impeccablement peignés, qui rivait sur vous, sous ses paupières plissées, un œil gauche marron et un œil droit plus petit que le gauche, moins marron et doté d'un iris rose pâle.

– Pourquoi tu me parles de ça ? demandai-je à Luo.
195 – Eh bien, je me disais que la valise en cuir du Binoclard pouvait bien être remplie de bouquins de ce genre : de la littérature occidentale.

– Tu as peut-être raison, son père est écrivain, et sa mère poétesse. Ils devaient en avoir beaucoup, de la même façon que chez toi et chez
200 moi, il y avait plein de livres de médecine occidentale. Mais comment une valise de livres aurait-elle pu échapper aux Gardes rouges ?

– Il aura suffi d'être assez malin pour les cacher quelque part.

– Ses parents ont pris un sacré risque en les confiant au Bino-clard.

205 – Comme les tiens et les miens ont toujours rêvé qu'on devienne médecins, les parents du Binoclard veulent peut-être que leur fils devienne écrivain. Et ils croient que, pour cela, il doit étudier ces bouquins en cachette.

*

Par un froid matin de début de printemps, de gros flocons tombè-
210 rent deux heures durant, et rapidement, une dizaine de centimètres de neige s'amoncela sur le sol. Le chef du village nous accorda un jour de repos. Luo et moi partîmes aussitôt voir le Binoclard. Nous avions entendu dire qu'il lui était arrivé un malheur : les verres de ses lunettes s'étaient cassés.

215 Mais j'étais sûr qu'il ne cesserait pas de travailler pour autant, afin que la grave myopie dont il souffrait ne soit pas perçue comme une défaillance physique par les paysans « révolutionnaires ». Il avait peur qu'ils ne le prissent pour un fainéant. Il avait toujours peur d'eux, car c'était eux qui décideraient un jour s'il était bien « réédu-
220 qué », eux qui, théoriquement, avaient le pouvoir de déterminer son avenir. Dans ces conditions, la moindre faille politique ou physique pouvait être fatale.

À la différence du nôtre, les paysans de son village ne se repo-saient pas malgré la neige : chargés chacun d'une immense hotte
225 sur le dos, ils transportaient du riz jusqu'à l'entrepôt du district, situé à vingt kilomètres de notre montagne, au bord d'un fleuve qui prenait sa source au Tibet. C'étaient les impôts annuels de son village, et le chef avait divisé le poids total de riz par le nombre des habitants ; la part de chacun était d'environ soixante kilos.

230 À notre arrivée, le Binoclard venait de remplir sa hotte, et se préparait à partir. Nous lui jetâmes des boules de neige, mais il tourna la tête dans toutes les directions, sans parvenir à nous voir, à cause de sa myopie. L'absence de lunettes faisait saillir ses prunelles, qui me faisaient penser à celles d'un chien pékinois, troubles et

235 hébétées. Il avait l'air égaré, éprouvé, avant même de charger sa hotte de riz sur son dos.

– Tu es cinglé, lui dit Luo. Sans lunettes, tu ne pourras pas faire un pas sur le sentier.

– J'ai écrit à ma mère. Elle va m'en envoyer une nouvelle paire

240 le plus tôt possible, mais je ne peux pas les attendre les bras croisés. Je suis là pour travailler. Du moins, c'est l'avis du chef.

Il parlait très vite, comme s'il ne voulait pas perdre son temps avec nous.

– Attends, lui dit Luo, j'ai une idée : on va porter ta hotte jusqu'à

245 l'entrepôt du district et, au retour, tu nous prêteras quelques-uns des bouquins que tu as cachés dans ta valise. Donnant donnant, n'est-ce pas ?

– Va te faire foutre, dit méchamment le Binoclard. Je ne sais pas de quoi tu parles, je n'ai pas de livres cachés.

250 Dans sa colère, il chargea la lourde hotte sur son dos et partit.

– Un seul bouquin suffira, lui cria Luo. Marché conclu !

Sans nous répondre, le Binoclard se mit en route.

Le défi qu'il se lançait dépassait les limites de ses capacités physiques. Rapidement, il s'engagea dans une sorte d'épreuve maso-

255 chiste : la neige était épaisse et, en certains endroits, il s'y enfonçait jusqu'aux chevilles. Le sentier était plus glissant que d'habitude. Il fixait le sol de ses yeux exorbités, mais était incapable de distinguer les pierres saillantes sur lesquelles il aurait dû poser les pieds. Il avançait à l'aveugle, en titubant, avec une démarche dansante

260 d'ivrogne. Alors que le sentier descendait, il chercha du pied un point d'appui à tâtons, mais son autre jambe, ne pouvant supporter seule le poids de la hotte, se déroba sous lui et il tomba à genoux dans la neige. Il essaya de garder son équilibre dans cette position, sans faire basculer sa hotte, puis, repoussant la neige avec les jambes,

265 l'écartant à la force du poignet, il s'ouvrit un chemin, mètre après
mètre, et finit par se relever.

De loin, nous le regardâmes zigzaguer sur le sentier, et tomber
de nouveau quelques minutes plus tard. Cette fois, la hotte heurta
un rocher dans sa chute, rebondit, et retomba par terre.

270 Nous nous approchâmes de lui et l'aidâmes à ramasser le riz
qui s'était répandu sur le sol. Personne ne parlait. Je n'osais le
regarder. Il s'assit par terre, ôta ses bottes pleines de neige, les
vida, puis essaya de réchauffer ses pieds engourdis, en les frottant
entre ses mains.

275 Il n'arrêtait pas de secouer la tête comme si elle était trop
lourde.

– Tu as mal à la tête ? lui demandai-je.

– Non, j'ai un bourdonnement d'oreilles, mais léger.

Rugueux et durs, des cristaux neigeux emplissaient les manches
280 de mon manteau, quand nous eûmes fini de remettre le riz dans
la hotte.

– On y va ? demandai-je à Luo.

– Oui, aide-moi à charger la hotte, dit-il. J'ai froid, un peu de
poids sur le dos me réchauffera.

285 Luo et moi nous relayâmes tous les cinquante mètres pour porter les soixante kilos de riz jusqu'à l'entrepôt. Nous étions morts
de fatigue.

À notre retour, le Binoclard nous passa un livre, mince, usé,
un livre de Balzac.

290 « Ba-er-za-ke ». Traduit en chinois, le nom de l'auteur français
formait un mot de quatre idéogrammes. Quelle magie que la traduction ! Soudain, la lourdeur des deux premières syllabes, la résonance
guerrière et agressive dotée de ringardise de ce nom disparaissaient.
Ces quatre caractères, très élégants, dont chacun se composait de
295 peu de traits, s'assemblaient pour former une beauté inhabituelle, de
laquelle émanait une saveur exotique, sensuelle, généreuse comme
le parfum envoûtant d'un alcool conservé depuis des siècles dans
une cave. (Quelques années plus tard, j'appris que le traducteur
était un grand écrivain, auquel on avait interdit, pour des raisons
300 politiques, de publier ses propres œuvres, et qui avait passé sa vie
à traduire celles d'auteurs français.)

Le Binoclard hésita-t-il longtemps avant de choisir de nous prêter
ce livre ? Le pur hasard conduisit-il sa main ? Ou bien le prit-il tout
simplement parce que, dans sa valise aux précieux trésors, c'était
305 le livre le plus mince, dans le pire état ? La mesquinerie guida-t-elle
son choix ? Un choix dont la raison nous resta obscure, et qui bouleversa notre vie, ou du moins la période de notre rééducation,
dans la montagne du Phénix du Ciel.

Ce petit livre s'appelait *Ursule Mirouët*.

310 Luo le lut dans la nuit même où le Binoclard nous le passa, et
le termina au petit matin. Il éteignit alors la lampe à pétrole, et me
réveilla pour me tendre l'ouvrage. Je restai au lit jusqu'à la tombée
de la nuit, sans manger, ni faire rien d'autre que de rester plongé
dans cette histoire française d'amour et de miracles.

315   Imaginez un jeune puceau de dix-neuf ans, qui somnolait encore dans les limbes de l'adolescence, et n'avait jamais connu que les bla-bla révolutionnaires sur le patriotisme, le communisme, l'idéologie et la propagande. Brusquement, comme un intrus, ce petit livre me parlait de l'éveil du désir, des élans, des pulsions, de l'amour, de
320 toutes ces choses sur lesquelles le monde était, pour moi, jusqu'alors demeuré muet.

Malgré mon ignorance totale de ce pays nommé la France (j'avais quelquefois entendu le nom de Napoléon dans la bouche de mon père, et c'était tout), l'histoire d'Ursule me parut aussi vraie que
325 celle de mes voisins. Sans doute, la sale affaire de succession et d'argent qui tombait sur la tête de cette jeune fille contribuait-elle à renforcer son authenticité, à augmenter le pouvoir des mots. Au bout d'une journée, je me sentais chez moi à Nemours, dans sa maison, près de la cheminée fumante, en compagnie de ces
330 docteurs, de ces curés… Même la partie sur le magnétisme et le somnambulisme me semblait crédible et délicieuse.

Je ne me levai qu'après en avoir lu la dernière page. Luo n'était pas encore rentré. Je me doutais qu'il s'était précipité dès le matin sur le sentier, pour se rendre chez la Petite Tailleuse et lui raconter
335 cette jolie histoire de Balzac. Un moment, je restai debout sur le seuil de notre maison sur pilotis, à manger un morceau de pain de maïs en contemplant la silhouette sombre de la montagne qui nous faisait face. La distance était trop grande pour que je pusse distinguer les lueurs du village de la Petite Tailleuse. J'imaginais
340 comment Luo lui racontait l'histoire, et je me sentis soudain envahi par un sentiment de jalousie, amer, dévorant, inconnu.

Il faisait froid, je frissonnais dans ma courte veste en peau de mouton. Les villageois mangeaient, dormaient ou menaient des activités secrètes dans le noir. Mais là, devant ma porte, on n'entendait rien.
345 D'habitude, je profitais de ce calme qui régnait dans la montagne pour faire des exercices au violon, mais à présent, il me semblait déprimant. Je retournai dans la chambre. J'essayai de jouer du violon, mais il rendit un son aigu, désagréable, comme si quelqu'un avait bousculé les gammes. Soudain, je sus ce que je voulais faire.

350   Je décidai de copier mot à mot mes passages préférés d'*Ursule Mirouët*. C'était la première fois de ma vie que j'avais envie de recopier un livre. Je cherchai du papier partout dans la chambre, mais ne pus trouver que quelques feuilles de papier à lettres, destinées à écrire à nos parents.

355   Je choisis alors de copier le texte directement sur la peau de mouton de ma veste. Celle-ci, que les villageois m'avaient offerte lors de mon arrivée, présentait un pêle-mêle de poils de mouton, tantôt longs, tantôt courts, à l'extérieur, et une peau nue à l'intérieur. Je passai un long moment à choisir le texte, à cause de la superficie
360 limitée de ma veste, dont la peau, par endroits, était abîmée, crevassée. Je recopiai le chapitre où Ursule voyage en somnambule. J'aurais voulu être comme elle : pouvoir, endormi sur mon lit, voir ce que ma mère faisait dans notre appartement, à cinq cents kilomètres de distance, assister au dîner de mes parents, observer leurs
365 attitudes, les détails de leur repas, la couleur de leurs assiettes, sentir l'odeur de leurs plats, les entendre converser… Mieux encore, comme Ursule, j'aurais vu, en rêvant, des endroits où je n'avais jamais mis les pieds…

    Écrire au stylo sur la peau d'un vieux mouton des montagnes
370 n'était pas facile : elle était mate, rugueuse et, pour copier le plus de texte possible dessus, il fallait adopter une écriture minimaliste, ce qui exigeait une concentration hors normes. Lorsque je finis de barbouiller de texte toute la surface de la peau, jusqu'aux manches, j'avais si mal aux doigts qu'on aurait dit qu'ils étaient cassés. Enfin,
375 je m'endormis.

    Le bruit des pas de Luo me réveilla ; il était trois heures du matin. Il me semblait que je n'avais pas dormi longtemps, puisque la lampe à pétrole brûlait toujours. Je le vis vaguement entrer dans la chambre.

380   – Tu dors ?

    – Pas vraiment.

    – Lève-toi, que je te montre quelque chose.

    Il ajouta de l'huile dans le réservoir et, quand la mèche fut en pleine combustion, il prit la lampe dans sa main gauche, approcha

385 de mon lit et s'assit sur le bord, l'œil en feu, les cheveux hérissés
en tous sens. De la poche de sa veste, il tira un carré de tissu blanc,
bien plié.

– Je vois. La Petite Tailleuse t'a offert un mouchoir.

Il ne répondit rien. Mais à mesure qu'il dépliait lentement le
390 tissu, je reconnus le pan d'une chemise déchirée, ayant sans doute
appartenu à la Petite Tailleuse, sur lequel une pièce était cousue
à la main.

Plusieurs feuilles d'arbre racornies y étaient enveloppées. Toutes
présentaient la même jolie forme, en ailes de papillon, dans des
395 tons allant de l'orangé soutenu au brun mêlé de jaune d'or clair,
mais toutes étaient maculées de taches noires de sang.

– Ce sont des feuilles de ginkgo, me dit Luo d'une voix fébrile.
Un grand arbre magnifique, planté au fond d'une vallée secrète,
à l'est du village de la Petite Tailleuse. Nous avons fait l'amour
400 debout, contre le tronc. Elle était vierge, et son sang a coulé par
terre, sur les feuilles.

Je restai sans voix, durant un moment. Lorsque je parvins à
reconstituer dans ma tête l'image de l'arbre, la noblesse de son
tronc, l'ampleur de son ramage, et ses jonchées de feuilles, je lui
405 demandai :

– Debout ?

– Oui, comme les chevaux. C'est peut-être pour ça qu'elle a ri
après, d'un rire si fort, si sauvage, qui résonna si loin dans la vallée,
que même les oiseaux s'envolèrent, effrayés.

*

410 Après nous avoir ouvert les yeux, *Ursule Mirouët* fut rendu dans
le délai fixé à son propriétaire en titre, le Binoclard sans lunettes.
Nous avions caressé l'illusion qu'il nous prêterait les autres livres
cachés dans sa valise secrète, en échange des durs travaux, physiquement insupportables, que nous faisions pour lui.

415 Mais il ne le voulut plus. Nous allions souvent chez lui, lui porter
de la nourriture, lui faire la cour, lui jouer du violon… L'arrivée

de nouvelles lunettes, envoyées par sa mère, le délivra de sa semi-cécité, et marqua la fin de nos illusions.

Comme nous regrettions de lui avoir rendu le livre. « On aurait dû le garder, répétait souvent Luo. Je l'aurais lu, page par page, à la Petite Tailleuse. Cela l'aurait rendue plus raffinée, plus cultivée, j'en suis convaincu. »

À l'en croire, c'était la lecture de l'extrait copié sur la peau de ma veste qui lui avait donné cette idée. Un jour de repos, Luo, avec lequel j'échangeais fréquemment mes vêtements, emprunta ma veste de peau pour aller retrouver la Petite Tailleuse sur le lieu de leurs rendez-vous, le ginkgo de la vallée de l'amour. « Après que je lui ai lu le texte de Balzac mot à mot, me raconta-t-il, elle a pris ta veste, et l'a relu toute seule, en silence. On n'entendait que les feuilles grelotter au-dessus de nous, et un torrent lointain couler quelque part. Il faisait beau, le ciel était bleu, un bleu d'azur paradisiaque. À la fin de sa lecture, elle est restée la bouche ouverte, immobile, ta veste au creux des mains, à la manière de ces croyants qui portent un objet sacré entre leurs paumes.

« Ce vieux Balzac, continua-t-il, est un véritable sorcier qui a posé une main invisible sur la tête de cette fille ; elle était métamorphosée, rêveuse, a mis quelques instants avant de revenir à elle, les pieds sur terre. Elle a fini par mettre ta foutue veste, ça ne lui allait pas mal d'ailleurs, et elle m'a dit que le contact des mots de Balzac sur sa peau lui apporterait bonheur et intelligence… »

La réaction de la Petite Tailleuse nous fascina tant que nous regrettâmes encore plus d'avoir rendu le livre. Mais il nous fallut attendre le début de l'été pour que se présentât une nouvelle occasion.

Ce fut un dimanche. Le Binoclard avait allumé un feu devant sa maison, posé une grande marmite sur des pierres, et l'avait remplie d'eau. Lorsque Luo et moi arrivâmes, nous fûmes surpris par ce grand ménage.

Au début, il ne nous adressa pas la parole. Il avait l'air épuisé et triste. Quand l'eau de la marmite eut bouilli, il ôta sa veste avec dégoût, la jeta dedans, et la maintint tout au fond à l'aide d'une longue baguette. Enveloppé dans une épaisse vapeur, il remua sans cesse la pauvre veste dans l'eau, à la surface de laquelle remontèrent des bulles noires, des miettes de tabac, et une odeur fétide.

455 – C'est pour tuer les poux ? lui demandai-je.

– Oui, j'en ai attrapé plein dans la falaise des Mille Mètres.

Le nom de cette falaise ne nous était pas inconnu, mais nous n'y avions jamais mis les pieds. Elle était loin de notre village, à une demi-journée de marche, au moins.

460 – Qu'est-ce que tu as été faire là-bas ?

Il ne nous répondit pas. Il ôta méthodiquement sa chemise, son T-shirt, son pantalon, ses chaussettes, et les plongea dans l'eau bouillante. Son corps maigre, aux os saillants, était couvert de gros boutons rouges, et sa peau égratignée et sanglante était marbrée

465 de traces d'ongles.

– Ils sont salement gros, les poux de cette foutue falaise. Ils ont même réussi à pondre leurs œufs dans les coutures de mes fringues, nous dit le Binoclard.

Il alla chercher sa culotte dans la maison et revint. Avant de la

470 plonger dans la marmite, il nous la montra : bon Dieu ! Dans les replis des coutures, c'étaient des chapelets et des chapelets de lentes noires, luisantes comme des perles minuscules. Rien que d'y jeter un coup d'œil, j'en eus la chair de poule des pieds à la tête.

Assis côte à côte devant la marmite, Luo et moi maintenions

475 le feu en ajoutant des morceaux de bois, tandis que le Binoclard remuait ses vêtements dans l'eau bouillante, avec sa longue baguette en bois. Peu à peu, il finit par nous révéler le secret de son voyage à la falaise des Mille Mètres.

Deux semaines auparavant, il avait reçu une lettre de sa mère,

480 la poétesse jadis connue dans notre province pour ses odes sur le brouillard, la pluie, et le souvenir timide du premier amour. Elle lui apprenait qu'un de ses anciens amis avait été nommé rédacteur en chef d'une revue de littérature révolutionnaire, et que, malgré la précarité de sa situation, il lui avait promis d'essayer de

485 trouver une place dans sa revue pour notre Binoclard. Pour ne pas avoir l'air de le « pistonner », il se proposait de publier d'abord

des chants populaires recueillis *in situ* par le Binoclard, c'est-à-dire d'authentiques chants de montagnards, sincères et empreints d'un romantisme réaliste.

490   Depuis qu'il avait reçu cette lettre, le Binoclard vivait dans un rêve éveillé. Tout avait changé en lui. Il nageait dans le bonheur pour la première fois de sa vie. Il refusa d'aller travailler dans les champs, pour se lancer dans la chasse solitaire aux chants monta-gnards, avec une ferveur acharnée. Il était sûr de pouvoir réunir

495 une vaste collection, grâce à laquelle il voyait déjà s'accomplir les promesses de l'ancien admirateur de sa mère. Mais une semaine avait passé sans qu'il fût parvenu à noter la moindre strophe digne d'être publiée dans une revue officielle.

    Il avait écrit à sa mère, pour lui raconter son échec en versant

500 des larmes de déception. Mais au moment où il donnait la lettre au facteur, celui-ci lui avait parlé d'un vieux montagnard de la falaise des Mille Mètres : un meunier qui connaissait toutes les chansons populaires de la région, un ancien chanteur illettré, véritable cham-pion en ce domaine. Le Binoclard avait déchiré sa lettre et était

505 parti aussitôt pour une nouvelle chasse.

    – Le vieux est un pauvre ivrogne, nous dit-il. De toute ma vie, je n'ai jamais vu quelqu'un d'aussi pauvre. Vous savez avec quoi il accompagne son eau-de-vie ? Des cailloux ! Je vous le jure sur la tête de ma mère ! Il les trempe dans de l'eau salée, les met dans

510 sa bouche, les fait rouler entre ses dents, et les recrache par terre. Il appelle ça «les boulettes de jade à la sauce meunière». Il m'a proposé de goûter, mais j'ai refusé. C'était sans compter sur sa susceptibilité. Après cela, il est devenu si irritable que, quoi que j'aie fait, quelle que soit la somme que je lui ai proposée, il n'a pas

515 voulu me chanter la moindre chose. J'ai passé deux jours dans son vieux moulin, dans l'espoir de lui soutirer quelques chants, j'ai dormi une nuit dans son lit, dans une couverture qui semblait ne pas avoir été lavée depuis des décennies…

    Il nous fut facile d'imaginer la scène : sur le lit où grouillaient

520 des milliers d'insectes, le Binoclard était resté éveillé de crainte que le vieux meunier ne se mît, par hasard, à chanter dans son rêve des

chants authentiques et sincères. Les poux étaient sortis de leurs tanières pour l'agresser dans l'obscurité ; tantôt ils lui suçaient le sang, tantôt ils venaient faire du patinage sur les verres glissants de
525 ses lunettes, qu'il n'avait pas ôtées pour la nuit. Chaque fois que le vieux se tournait, hoquetait, toussait, notre Binoclard retenait son souffle, prêt à allumer sa minuscule lampe-torche pour prendre des notes, tel un espion. Puis tout redevenait normal, et le vieux se remettait à ronfler au rythme des roues de son moulin, perpé-
530 tuellement en mouvement.

– J'ai une idée, lui dit Luo d'un air désinvolte. Si on réussit à arracher des chants populaires à ton meunier, tu nous prêteras d'autres livres de Balzac ?

Le Binoclard ne répondit pas tout de suite. Il fixa de ses lunettes
535 embuées l'eau noircie qui bouillait dans la marmite, comme hypno-tisé par les cadavres de poux qui faisaient des culbutes parmi les bulles et les miettes de tabac.

Enfin, il leva les yeux et demanda à Luo :

– Comment vous pensez vous y prendre ?

540   Si vous m'aviez vu en ce jour d'été 1973, en route pour la falaise des Mille Mètres, vous m'auriez cru tout droit sorti d'une photo officielle d'un congrès du Parti communiste, ou d'une photo de mariage de «cadres révolutionnaires». Je portais une veste bleu marine à col gris foncé, fabriquée par notre Petite Tailleuse. C'était,
545 dans les moindres détails, une copie conforme des vestes du président Mao, depuis le col jusqu'à la forme des poches, en passant par les manches, ornées chacune de trois mignons petits boutons jaune d'or, qui semblaient refléter la lumière quand je bougeais les bras. Sur ma tête, pour masquer la jeunesse de mes cheveux
550 anarchiquement hérissés, notre costumière avait posé une ancienne casquette de son père, d'un vert aussi soutenu que celle des officiers de l'armée. Elle était seulement trop petite pour moi, il aurait fallu une bonne taille de plus.

    Quant à Luo, son rôle de secrétaire oblige, il revêtit un uni-
555 forme délavé de soldat, emprunté la veille à un jeune paysan qui avait fini son service militaire. Sur sa poitrine, brillait une médaille rouge feu, sur laquelle ressortait une tête de Mao dorée, les cheveux impeccablement plaqués en arrière.

    Comme nous n'avions jamais mis les pieds dans ce coin inconnu
560 et sauvage, nous faillîmes nous perdre dans une forêt de bambous qui, dressés de toutes parts, se rejoignaient et nous cernaient, luisants de pluie, sombres, humides, chargés d'une odeur âpre de bêtes invisibles. De temps à autre, on entendait les crépitements doux et suggestifs produits par la croissance des nouvelles pousses. Certains

565 jeunes bambous, parmi les plus vigoureux, peuvent, paraît-il, pousser d'une trentaine de centimètres en une seule journée.

Le moulin du vieux chanteur, qui chevauchait un torrent tombant d'une haute falaise, avait l'air d'une relique, avec ses immenses roues grinçantes, en pierre blanche veinée de noir, qui tournaient 570 dans l'eau avec une lenteur toute paysanne.

Au rez-de-chaussée, le plancher vibrait. Par endroits, à travers les vieilles planches cassées, on pouvait voir l'eau rouler au-dessous de nous, entre les grosses pierres. Les grincements de la roue, qui se répercutaient en écho, résonnaient à nos oreilles. Au milieu de la 575 pièce, un vieil homme, le torse nu, s'arrêta de jeter du grain dans le circuit rond du moulin, pour nous regarder silencieusement, avec méfiance. Je lui dis bonjour, non pas en sichuanais, le dialecte de notre province, mais en mandarin[1], exactement comme dans un film.

– Il parle en quelle langue ? demanda-t-il à Luo d'un air per-
580 plexe.

– Dans la langue officielle, lui répondit Luo, la langue de Pékin. Vous ne connaissez pas ?

– C'est où, Pékin ?

Cette question nous donna un choc mais, quand nous com-
585 prîmes qu'il ne connaissait vraiment pas Pékin, nous rîmes comme des bossus. Un instant, j'enviai presque son ignorance totale du monde extérieur.

– Péping, ça vous dit quelque chose ? lui demanda Luo.

– Bai Ping ? dit le vieux. Bien sûr : c'est la grande ville du Nord !
590 – Il y a plus de vingt ans que la ville a changé de nom, mon petit père, lui expliqua Luo. Et ce monsieur à côté de moi, il parle la langue officielle de Bai Ping, comme vous l'appelez.

Le vieux me jeta un regard plein de respect. Il contempla ma veste Mao, et fixa les trois petits boutons des manches. Puis il les
595 toucha, du bout des doigts.

– À quoi ça sert, ces petits machins-là ? me demanda-t-il.

---

1. Mandarin : langue officielle de la République populaire de Chine, par opposition aux multiples dialectes, dont le sichuanais.

Luo me traduisit sa question. Dans mon mauvais mandarin, je répondis que je n'en savais rien. Mais mon traducteur expliqua au vieux meunier que je disais que c'était l'emblème des vrais cadres
600 révolutionnaires.

– Ce monsieur de Bai Ping, poursuivit Luo avec son calme de grand escroc, vient dans la région pour recueillir des chansons populaires, et tout citoyen qui en connaît a le devoir de lui faire une démonstration.

– Ces trucs de montagnards ? lui demanda le vieux, en me jetant
605 un regard soupçonneux. C'est pas des chansons, juste des refrains, des vieux refrains figés, vous comprenez ?

– Ce que veut ce monsieur, c'est justement des refrains, avec des paroles à la force primitive et authentique.

Le vieux meunier rumina cette demande précise, et me regarda
610 avec un drôle de sourire rusé.

– Vous pensez vraiment… ?

– Oui, lui répondis-je.

– Monsieur veut vraiment que je lui chante des cochonneries ? Parce que, vous savez, nos refrains, c'est bien connu, c'est…

615 Sa phrase fut interrompue par l'arrivée de plusieurs paysans, qui portaient chacun une grande hotte sur le dos.

J'eus vraiment peur ; mon « interprète » aussi. Je lui chuchotai à l'oreille : « On fout le camp ? » Mais le vieux se tourna vers nous et demanda à Luo : « Qu'est-ce qu'il a dit ? » Je me sentis rougir et,
620 pour dissimuler ma gêne, je me précipitai vers les paysans, comme pour les aider à se décharger de leurs hottes.

Les nouveaux arrivés étaient six. Aucun d'eux n'était jamais allé dans notre village et, sitôt que j'eus la certitude qu'ils ne pouvaient pas nous connaître, je recouvrai mon calme. Ils posèrent par terre
625 leurs hottes lourdement chargées de grains de maïs à moudre.

– Venez, que je vous présente un jeune monsieur de Bai Ping, dit le vieux meunier à ces gens. Vous voyez les trois petits boutons sur ses manches ?

Métamorphosé, rayonnant, le vieil ermite prit mon poignet, le
630 souleva en l'air, et le brandit devant les yeux des paysans, pour leur faire admirer de près les foutus boutons jaunes.

– Vous savez ce que ça veut dire ? cria-t-il, et un effluve d'eau-de-vie jaillit de sa bouche. C'est le symbole d'un cadre révolutionnaire.

Je n'aurais jamais cru qu'un vieux si maigre eût tant de force : sa main calleuse faillit briser mon poignet. À nos côtés, Luo l'escroc me traduisait ses paroles en mandarin, avec tout le sérieux d'un interprète officiel. À la manière de ces dirigeants qu'on voyait au cinéma, je fus obligé de serrer la main à tout le monde, et de m'exprimer en un mandarin lamentable, tout en branlant la tête.

De toute ma vie, je n'avais encore jamais fait une chose pareille. Je regrettais cette visite incognito, entreprise pour accomplir la mission impossible du Binoclard, cruel propriétaire d'une valise en cuir.

Alors que je branlais la tête, ma casquette verte, ou plutôt celle du tailleur, tomba par terre.

*

Finalement les paysans repartirent, laissant une montagne de grains de maïs à moudre.

J'étais accablé de fatigue, d'autant que la petite casquette, devenue un véritable cercle de fer qui serrait de plus en plus mon crâne, me donnait la migraine.

Le vieux meunier nous conduisit au premier étage par une petite échelle en bois, à laquelle manquaient deux ou trois barreaux. Il se précipita vers un panier en rotin, d'où il sortit une calebasse d'eau-de-vie et trois godets.

– Ici, il y a moins de poussière, nous dit-il en souriant. On va boire un coup.

Dans cette pièce vaste et sombre, le plancher était presque entièrement couvert de petits cailloux évoquant les « boulettes de jade » dont le Binoclard nous avait parlé. Comme au rez-de-chaussée, il n'y avait ni chaise, ni tabouret, ni les meubles habituels d'une maison d'habitation, seulement un grand lit au-dessus duquel le mur était tapissé d'une peau de léopard, ou de panthère, noire et moirée, où était accroché un instrument de musique, sorte de viole en bambou à trois cordes.

C'est sur ce lit unique que le vieux meunier nous invita à nous
asseoir, un lit qui avait laissé un souvenir douloureux et de gros
boutons rouges à notre prédécesseur, le Binoclard.

Je jetai un coup d'œil à mon interprète, qui avait visiblement si
peur de glisser sur les cailloux qu'il faillit se ramasser par terre.

– Vous ne préférez pas qu'on s'installe dehors ? bafouilla Luo, qui
perdait son calme pour la première fois. Ici, c'est trop sombre.

– Ne vous en faites pas.

Le vieil homme alluma une lampe à pétrole et la posa au milieu
du lit. Comme il n'y avait plus assez d'huile dedans, il partit en
chercher. Il revint aussitôt, avec une calebasse pleine d'huile. Il en
versa la moitié dans la lampe, et laissa la calebasse sur le lit, à côté
de celle qui contenait l'eau-de-vie.

Juchés tous les trois sur le lit, assis sur les talons autour de la
lampe à pétrole, nous bûmes un godet d'eau-de-vie. À quelques
centimètres de moi, la couverture était roulée en une masse informe
dans un coin du lit, avec des vêtements sales. Tout en buvant, je
sentais des petits insectes grimper le long d'une de mes jambes,
sous mon pantalon. À l'instant où j'y introduisis discrètement ma
main, en dépit du protocole qu'imposait mon statut officiel, je me
sentis soudain agressé sur l'autre jambe. J'eus rapidement l'impression que ces innombrables petits chéris se réunissaient sur mon
corps, ravis de changer de plat, ravis du nouveau festin offert par
mes veines. L'image furtive de la grosse marmite passa devant mes
yeux, une marmite dans laquelle les vêtements du Binoclard montaient, descendaient, tournaient dans l'eau bouillante, au milieu
de bulles noires, et finissaient par céder leur place à ma nouvelle
veste Mao.

Le vieux meunier nous laissa seuls un moment, assaillis par
les poux, et revint avec une assiette, un petit bol, et trois paires
de baguettes. Il les posa à côté de la lampe, puis remonta s'asseoir
sur le lit.

Ni Luo ni moi n'avions imaginé une seconde que le vieux oserait
nous faire le coup qu'il avait fait au Binoclard. C'était trop tard.
L'assiette, en face de nous, était pleine de petits cailloux anodins,

polis, dans une gamme de gris et de vert, et le bol était rempli
d'une eau limpide, que la lumière de la lampe à pétrole rendait
diaphane.

Au fond du bol, quelques gros grains cristallisés nous firent
comprendre qu'il s'agissait de la sauce au sel. Mes envahisseurs les
poux continuaient à agrandir le champ de leur action, ils étaient
parvenus à pénétrer sous ma casquette, et je sentais mes cheveux se
dresser sous l'intolérable démangeaison de mon cuir chevelu.

– Servez-vous, nous dit le vieux. C'est mon plat de tous les jours :
des boulettes de jade à la sauce au sel.

Tout en parlant, il prit des baguettes, avec lesquelles il pinça un
caillou dans l'assiette, il le trempa dans la sauce avec une lenteur
quasi rituelle, le porta à sa bouche, et le suça de bon appétit. Il
garda longtemps le caillou dans sa bouche ; je le vis rouler entre
ses dents jaunâtres et noircies, puis il sembla disparaître au fond
de sa gorge, mais il resurgit. Le vieux le cracha par un coin de ses
lèvres, et l'envoya rouler loin du lit.

Après un instant de flottement, Luo prit des baguettes, et goûta
sa première boulette de jade avec émerveillement, plein d'une admiration mêlée d'apitoiement. Le monsieur de Bai Ping que j'étais se
mit à les imiter. La sauce n'était pas trop salée, et le caillou laissa
dans ma bouche un goût douceâtre, un peu amer.

Le vieux ne cessait de verser de l'eau-de-vie dans nos godets, et
de nous demander de faire « cul sec » avec lui, tandis que les cailloux
propulsés par nos trois bouches en un mouvement parabolique
tombaient, percutant parfois ceux qui tapissaient déjà le sol avec
un bruit clair, sec et gai.

Le vieux était très en forme. Il avait aussi un vrai sens professionnel. Avant de chanter, il sortit arrêter la roue, qui grinçait si
fort. Puis il ferma la fenêtre, pour améliorer l'acoustique. Toujours
torse nu, il ajusta sa ceinture – une cordelette de paille tressée – et,
enfin, il décrocha du mur son instrument à trois cordes.

– Vous voulez entendre des vieux refrains ? nous demanda-t-il.

– Oui, c'est pour une importante revue officielle, lui confessa
Luo. Vous seul pouvez nous sauver, mon vieux. Ce qu'il nous faut,

ce sont des choses sincères, authentiques, avec un certain roman-
735 tisme révolutionnaire.

– C'est quoi, ça, le romantisme ?

Après réflexion, Luo posa la main sur sa poitrine, comme un
témoin prêtant serment devant le ciel :

– L'émotion et l'amour.

740 Les doigts osseux du vieil homme parcoururent silencieusement
les cordes de l'instrument, qu'il tenait comme une guitare. Une
première note retentit, et puis il entonna un refrain, d'une voix à
peine audible.

Ce qui capta d'abord notre attention, ce furent les mouvements
745 de son ventre qui, pendant les premières secondes, occultèrent
complètement sa voix, la mélodie et tout le reste. Quel ventre épous-
touflant ! En fait, maigre comme il était, il n'avait pas du tout de
ventre, mais sa peau ratatinée formait d'innombrables plis minuscules sur son abdomen. Lorsqu'il chantait, ces plis se réveillaient,
750 se muaient en petites vaguelettes fluant et refluant sur son ventre
nu, enluminé, bronzé. La cordelette en paille qui lui servait de
ceinture se mit à onduler follement. Parfois, elle était engloutie par
les flots de sa peau plissée, et on ne la voyait plus, mais à l'instant
même où on la croyait définitivement perdue dans les mouvements
755 de la marée, elle émergeait à nouveau, digne et impeccable. Une
cordelette magique.

Bientôt, la voix du vieux meunier, à la fois rauque et profonde,
résonna très fort dans la pièce. Il chantait, ses yeux naviguant sans
cesse entre le visage de Luo et le mien, tantôt avec une complicité
760 amicale, tantôt avec une fixité un peu hagarde.

Voici ce qu'il chanta :

> *Dis-moi,*
> *Un vieux pou,*
> *Il a peur de quoi ?*
765 > *Il a peur de l'eau qui bout,*
> *De l'eau qui bout.*

> *Et la jeune nonne,*
> *Dis-moi,*
> *Elle a peur de quoi ?*
> *Elle a peur du vieux moine,*
> *Rien d'autre*
> *que du vieux moine.*

Nous piquâmes un fou rire, d'abord Luo, puis moi. Nous essayâmes bien de nous retenir, mais le rire monta, monta, et finit par éclater. Le vieux meunier continua à chanter, avec un sourire plutôt fier et ses flots de peau plissée sur le ventre. Tordus par le rire, Luo et moi tombâmes par terre sans pouvoir arrêter.

Les larmes aux yeux, Luo se leva pour prendre une calebasse et remplir nos trois godets, alors que le vieux chanteur finissait son premier refrain sincère, authentique, et doté de romantisme montagnard.

– Trinquons d'abord à votre sacré ventre, proposa Luo.

Le godet à la main, notre chanteur nous permit de poser la main sur son abdomen, et se mit à respirer, sans chanter, juste pour le plaisir du mouvement spectaculaire de son ventre. Puis nous trinquâmes et chacun vida son godet d'un seul trait. Durant les premières secondes, personne ne réagit, ni moi ni eux. Mais brusquement, quelque chose monta dans ma gorge, une chose si étrange que j'oubliai mon rôle et demandai au vieux en parfait dialecte sichuanais :

– C'est quoi, votre gnôle ?

Ma phrase à peine prononcée, nous crachâmes tous les trois ce que nous avions dans la bouche, presque en même temps : Luo s'était trompé de calebasse. Il ne nous avait pas servi de l'eau-de-vie, mais de l'huile pour la lampe à pétrole.

Depuis son arrivée dans la montagne du Phénix du Ciel, c'était sans doute la première fois que les lèvres du Binoclard se plissaient dans un vrai sourire de bonheur. Il faisait chaud. Sur son petit nez couvert de fines gouttelettes de sueur, ses lunettes glissaient et, par deux fois, elles faillirent tomber et s'écraser par terre, tandis qu'il était plongé dans la lecture des dix-huit chants du vieux meunier, que nous avions notés sur du papier taché de sauce salée, d'eau-de-vie et de pétrole. Luo et moi étions allongés sur son lit, sans avoir pris la peine d'enlever nos vêtements et nos chaussures. Nous avions marché presque toute la nuit dans la montagne, traversé une forêt de bambous où des grognements de fauves invisibles nous avaient accompagnés de loin jusqu'au petit matin, aussi étions-nous à deux doigts de mourir d'épuisement. Soudain, le sourire du Binoclard disparut et son visage s'assombrit.

— Bordel ! nous cria-t-il. Vous n'avez noté que des cochonneries.

À l'entendre crier, on aurait dit un vrai commandant, fou de colère. Je n'appréciai pas du tout son ton, mais je me tus. La seule chose qu'on attendait de lui, c'était qu'il nous prêtât un ou deux bouquins, en récompense de notre mission.

— Tu nous as demandé des chants de montagnard authentiques, rappela Luo d'une voix tendue.

— Bon Dieu ! Je vous avais pourtant précisé que je voulais des paroles positives, teintées de romantisme réaliste.

Tout en parlant, le Binoclard tenait les feuilles entre deux doigts, et les agitait au-dessus de nos têtes ; on entendait le crissement du papier et sa voix d'instituteur sérieux.

– Pourquoi vous êtes toujours attirés par les saloperies interdites, tous les deux ?

– N'exagère pas, lui dit Luo.

825 – C'est moi qui exagère ? Tu veux que je montre ça au comité de la commune ? Ton vieux meunier sera aussitôt accusé de propager des chants érotiques, il risque même la prison, sans déconner.

Tout à coup, je le détestai. Mais ce n'était pas le moment d'éclater, je préférais attendre qu'il tînt sa promesse de nous passer des 830 livres.

– Vas-y, qu'est-ce que tu attends pour jouer les mouchards ? lui demanda Luo. Moi, je l'adore ce vieux, avec ses chants, sa voix, les mouvements de son sacré ventre, et toutes ces paroles. Je vais retourner lui porter un peu d'argent.

835 Assis au bord du lit, le Binoclard posa ses jambes maigres et plates sur une table, et relut une ou deux feuilles.

– Comment avez-vous pu perdre votre temps à noter toutes ces cochonneries ! Je n'en reviens pas ! Vous n'êtes quand même pas idiots au point d'imaginer qu'une revue officielle les publiera ? Et 840 que ça ouvrira pour moi les portes d'une rédaction ?

Il avait drôlement changé depuis qu'il avait reçu la lettre de sa mère. Cette façon de nous parler eût été impensable quelques jours plus tôt. Je ne savais pas qu'un petit espoir pour son avenir pouvait transformer autant un type, jusqu'à le rendre complètement fou, 845 arrogant, et lui donner tant de désir et de haine dans la voix. Il ne faisait toujours pas la moindre allusion aux livres qu'il devait nous prêter. Il se leva, abandonna les feuilles de papier sur le lit, et on l'entendit préparer le repas et couper des légumes, dans la cuisine. Il ne se taisait toujours pas.

850 – Je vous conseille de ramasser vos notes, et de les jeter au feu tout de suite, ou de les cacher dans vos poches. Je ne veux pas voir ce genre de saloperies interdites traîner chez moi, sur mon lit !…

Luo le rejoignit dans la cuisine :

– File-nous un ou deux bouquins, et on s'en va.

855 – Quels bouquins ? entendis-je le Binoclard lui demander, tout en continuant à couper des choux ou des navets.

– Ceux que tu nous as promis.

– Tu te fous de moi, ou quoi ? Vous m'avez ramené des trucs lamentables, qui ne peuvent que m'attirer des ennuis ! Et vous avez le culot de me présenter ça comme des…

Soudain, il se tut et se précipita vers la chambre, le couteau à la main. Il ramassa les feuilles éparses sur le lit, approcha de la fenêtre pour mieux profiter de la lumière, et les relut.

– Mon Dieu ! Je suis sauvé, s'écria-t-il. Il me suffit de changer un peu les paroles, d'ajouter quelques mots, d'en supprimer d'autres… Ma tête fonctionne mieux que la vôtre, je n'y suis pour rien. Je suis sans doute plus intelligent !

Sans réfléchir davantage, il nous fit une démonstration de sa version adaptée et truquée, avec le premier couplet :

> *Dites-moi,*
> *Les petits poux bourgeois,*
> *Ils ont peur de quoi ?*
> *De la vague bouillante du prolétariat.*

Dans un sursaut fulgurant, je me levai et me jetai sur lui. Je voulais seulement lui arracher les feuilles, dans un élan de colère, mais mon geste se transforma en un coup de poing qui frappa lourdement son visage et le fit vaciller. L'arrière de sa tête heurta le mur, rebondit, son couteau tomba, et son nez se mit à saigner. Je voulais reprendre nos feuilles, les déchirer en morceaux et les lui fourrer dans la bouche, mais il ne les lâcha pas.

Comme je ne m'étais pas battu depuis longtemps, j'eus un moment de flottement, et ne compris plus ce qui se passait. Je le vis ouvrir grand la bouche, mais n'entendis pas son hurlement.

Je repris mes esprits au-dehors, alors que Luo et moi étions assis au bord d'un sentier, sous un rocher. Luo désigna ma veste Mao, tachée du sang du Binoclard.

– Tu as l'air d'un héros de film de guerre, me dit-il. À présent, Balzac, c'est fini pour nous.

Chaque fois qu'on me demande comment est la ville de Yong Jing, je réponds sans exception par une phrase de mon ami Luo : elle est si petite que si la cantine de la mairie fait du bœuf aux oignons, toute la ville en renifle l'odeur.

En fait, la ville ne comprenait qu'une seule rue, de deux cents mètres environ, dans laquelle se trouvaient la mairie, un bureau de poste, un magasin, une librairie, un lycée et un restaurant, derrière lequel il y avait un hôtel de douze chambres. À la sortie de la ville, accroché au milieu d'une colline, se trouvait l'hôpital du district.

Cet été-là, le chef de notre village nous envoya plusieurs fois en ville pour assister à des projections de films. À mon avis, la raison cachée de ces libéralités tenait à la séduction irrésistible qu'exerçait sur lui notre petit réveil, avec son orgueilleux coq à plumes de paon, qui piquait un grain de riz à chaque seconde ; cet ex-cultivateur d'opium, reconverti en communiste, en était tombé fou amoureux. Le seul moyen de le posséder, même pour une modeste durée, était de nous envoyer à Yong Jing. Pendant les quatre jours que prenaient l'aller et le retour, il devenait le maître du réveil.

Vers la fin du mois d'août, c'est-à-dire un mois après la bagarre qui avait provoqué le gel de nos relations diplomatiques avec le Binoclard, nous nous rendîmes de nouveau en ville, mais en emmenant cette fois la Petite Tailleuse avec nous.

Le film, projeté en plein air sur le terrain de basket du lycée bondé de spectateurs, était toujours ce vieux film nord-coréen, *La Petite Marchande de fleurs*, que Luo et moi avions déjà vu et raconté

aux villageois, ce même film qui, chez la Petite Tailleuse, avait fait
915 pleurer à chaudes larmes les quatre vieilles sorcières. C'était un mauvais film. Il n'était pas besoin de le voir deux fois pour le savoir. Mais
cela ne parvint pas à gâcher complètement notre bonne humeur.
D'abord, nous étions contents de remettre les pieds en ville. Ah !
l'atmosphère de la ville, même d'une ville à peine plus grande qu'un
920 mouchoir de poche, faisait, je vous assure, que l'odeur d'un plat de
bœuf aux oignons n'était pas la même que dans notre village. Et
puis, elle avait l'électricité, pas seulement des lampes à pétrole. Je
ne veux pas dire pour autant que nous étions deux obsédés de la
ville, mais notre mission, qui consistait à assister à une projection,
925 nous épargnait quatre jours de corvées dans les champs, quatre jours
de transport « d'engrais humain et animal » sur le dos, ou de labour
dans la boue des rizières, avec des buffles dont les longues queues
risquaient toujours de frapper votre visage de plein fouet.

L'autre raison qui nous mettait de bonne humeur était la com-
930 pagnie de notre Petite Tailleuse. Comme nous arrivâmes après le
début de la projection, il ne restait plus que des places debout, à
l'arrière de l'écran, où tout était inversé et où chacun était gaucher.
Mais elle ne voulait pas rater ce spectacle rare. Et pour nous, c'était
un régal que de regarder son beau visage luire des reflets colorés,
935 lumineux, renvoyés par l'écran. Parfois, son visage était englouti
par l'obscurité, et l'on ne voyait plus que ses yeux dans l'ombre,
comme deux taches phosphorescentes. Mais soudain, lors d'un
changement de plan, ce visage s'illuminait, se colorait, et s'épa-
nouissait dans la splendeur de sa rêverie. De toutes les spectatrices,
940 qui étaient au moins deux mille, sinon plus, elle était sans aucun
doute la plus belle. Une sorte de vanité masculine montait au plus
profond de nous, devant les regards jaloux des autres hommes qui
nous entouraient. Au beau milieu de la séance, après environ une
demi-heure de film, elle tourna la tête, et me chuchota à l'oreille
945 quelque chose qui me tua :

– C'est beaucoup plus intéressant, quand c'est toi qui le racontes.

L'hôtel où nous descendîmes était très bon marché, cinquante
centimes la chambre, à peine le prix d'un plat de bœuf aux oignons.

Somnolant sur une chaise, dans la cour, le gardien de nuit, un vieil homme chauve que nous connaissions déjà, nous indiqua du doigt une chambre dont la lumière était allumée, en nous disant à voix basse qu'une femme chic d'une quarantaine d'années l'avait louée pour la nuit ; elle venait de la capitale de notre province, et repartait le lendemain pour la montagne du Phénix du Ciel.

– Elle vient chercher son fils, ajouta-t-il. Elle lui a trouvé un bon boulot dans sa ville.

– Son fils est en rééducation ? lui demanda Luo.

– Oui, comme vous.

Qui pouvait être cet heureux élu, le premier libéré sur la centaine de jeunes rééduqués de notre montagne ? La question nous obséda pendant au moins la moitié de la nuit, elle nous tortura l'esprit, nous tint dans un éveil fiévreux, nous rongea de jalousie. Les lits de l'hôtel étaient devenus brûlants, impossible de dormir dessus. Nous ne parvenions pas à deviner qui était ce veinard, bien qu'ayant énuméré les noms de tous les garçons, à l'exception des « fils de bourgeois », comme le Binoclard, ou des « fils d'ennemis du peuple », comme nous, c'est-à-dire ceux relevant des trois pour mille de chance.

Le lendemain, sur le chemin du retour, je rencontrai cette femme, venue sauver son fils. C'était juste avant que le sentier s'élève dans les rochers et disparaisse dans les nuages blancs des hautes montagnes. Sous nos pieds, s'étendait une immense pente, couverte de tombes tibétaines et chinoises. La Petite Tailleuse avait voulu nous montrer où était enterré son grand-père maternel, mais comme je n'aimais pas trop les cimetières, je les avais laissés pénétrer sans moi la forêt des pierres tombales, dont certaines étaient à demi enterrées dans le sol, et d'autres dissimulées par les herbes luxuriantes.

Sur un côté du sentier, sous une arête rocheuse en saillie, j'allumai un feu comme d'habitude, avec des branches d'arbre et des feuilles sèches, et je sortis de mon sac quelques patates douces, que j'enfouis dans la cendre pour les faire griller. Ce fut alors que la femme apparut, assise sur une chaise en bois, tenue sur le dos d'un jeune homme par deux lanières en cuir. Chose étonnante,

dans cette position si dangereuse, elle montrait un calme presque
985 inhumain, et tricotait, comme elle l'aurait fait sur son balcon.

Mince de taille, elle portait une veste vert foncé en velours côtelé,
un pantalon beige, et une paire de souliers à semelles plates, en peau
souple, de couleur vert délavé. Arrivé à ma hauteur, son porteur voulut
faire une halte, et posa la chaise sur un rocher carré. Elle continua
990 son tricot, sans descendre de la chaise, sans jeter un coup d'œil à mes
patates braisées, ni adresser une petite phrase gentille à son porteur.
Je lui demandai, en imitant l'accent local, si elle avait logé la veille
dans l'hôtel de la ville. Elle confirma d'un simple hochement de
tête, puis reprit son tricot. C'était une femme élégante, sans doute
995 riche, que rien ne pouvait apparemment étonner.

Avec une branche d'arbre, je piquai une patate douce dans le
tas fumant et la tapotai, pour en ôter la terre et la cendre. Je décidai
de changer de prononciation.

– Voulez-vous goûter une grillade montagnarde ?
1000 – Vous avez l'accent de Chengdu[1] ! me cria-t-elle, et sa voix était
douce et agréable.

Je lui expliquai que ma famille habitait à Chengdu, d'où je venais
effectivement. Elle descendit aussitôt de sa chaise et, son tricot à la
main, vint s'accroupir devant mon feu. Elle n'avait sans doute pas
1005 l'habitude de s'asseoir en ce genre d'endroit.

Elle prit la patate douce que je lui tendis, et souffla dessus, avec
un sourire. Elle hésitait à la croquer.

– Qu'est-ce que vous faites ici, votre rééducation ?
– Oui, dans la montagne du Phénix du Ciel, lui répondis-je, tout
1010 en cherchant une autre patate dans la braise.

– Vraiment ? cria-t-elle. Mon fils aussi est rééduqué dans cette
montagne. Peut-être le connaissez-vous. Il paraît qu'il est le seul
d'entre vous à porter des lunettes.

Je manquai la patate douce, et ma branche piqua dans le vide.
1015 Ma tête se mit soudain à bourdonner, comme si j'avais reçu une
gifle.

---

1. Chengdu : capitale de la province du Sichuan située au centre-ouest de la Chine.

– Vous êtes la mère du Binoclard?

– Oui.

– Alors c'est lui le premier libéré!

– Oh, vous êtes au courant? Oui, il va travailler à la rédaction d'une revue littéraire de notre province.

– Votre fils est un super spécialiste des chants de montagnards.

– Je sais. Avant, nous avions peur qu'il ne perde son temps dans cette montagne. Mais non. Il a recueilli des chants, les a adaptés, modifiés, et les paroles de ces magnifiques chansons paysannes ont énormément plu au rédacteur en chef.

– C'est grâce à vous qu'il a pu faire ce travail. Vous lui avez donné beaucoup de livres à lire.

– Oui, bien sûr.

Soudain, elle se tut, et me fixa d'un regard méfiant.

– Des livres? Jamais, me dit-elle froidement. Merci beaucoup pour la patate.

Elle était vraiment susceptible. Je regrettai de lui avoir parlé des livres, en la voyant remettre discrètement sa patate douce dans le tas fumant, se lever, et s'apprêter à partir.

Brusquement, elle se retourna vers moi, et me posa la question que je redoutais:

– Comment vous appelez-vous? À mon arrivée, je dirai à mon fils que je vous ai rencontré.

– Mon nom? dis-je avec une hésitation timide. Je m'appelle Luo.

À peine ce mensonge fut-il sorti de ma bouche, que je m'en voulus à mort. J'entends encore la mère du Binoclard crier de sa voix douce, comme à un ami de longue date:

– Vous êtes le fils du grand dentiste! Quelle surprise! Est-ce vrai que votre père a soigné les dents de notre président Mao?

– Qui vous a dit cela?

– Mon fils, dans une de ses lettres.

– Je ne sais pas.

– Votre père ne vous l'a jamais raconté? Quelle modestie! Il doit être un grand, un très grand dentiste.

– Il est enfermé à présent. Il est censé être un ennemi du peuple.

– Je sais. La situation du père du Binoclard n'est pas meilleure que la sienne. (Elle baissa la voix, et se mit à chuchoter.) Mais ne vous en faites pas trop. Maintenant, la mode est à l'ignorance, mais un jour, la société aura de nouveau besoin de bons médecins, et le président Mao aura encore besoin de votre père.

– Le jour où je reverrai mon père, je lui transmettrai vos sympathiques paroles.

– Vous non plus, ne vous laissez pas aller. Moi, vous voyez, je tricote sans arrêt ce pull bleu, mais ce n'est qu'une apparence : en fait, je compose des poèmes dans ma tête, tout en faisant du tricot.

– Là, vous m'épatez ! lui dis-je. Et quel genre de poèmes ?

– Secret professionnel, mon garçon.

Du bout d'une aiguille à tricoter, elle piqua une patate douce, l'éplucha, et la fourra, toute chaude, dans sa bouche.

– Savez-vous que mon fils vous aime beaucoup ? Il m'a souvent parlé de vous dans ses lettres.

– Vraiment ?

– Oui, celui qu'il déteste, c'est votre copain, qui est dans le même village que vous.

Une vraie révélation. Je me félicitai d'avoir pris l'identité de Luo.

– Pourquoi ça ? demandai-je en essayant de garder un ton calme.

– Il paraît que c'est un type tordu. Il soupçonne que mon fils a caché une valise, et chaque fois qu'il vient le voir, il la cherche partout.

– Une valise de livres ?

– Je n'en sais rien, dit-elle, en redevenant méfiante. Un jour, comme il ne supportait plus son attitude, il a donné un coup de poing à ce type, puis il l'a battu. Il paraît que son sang dégoulinait partout.

Je démentis, et faillis lui dire qu'au lieu de se faire faussaire de chants montagnards, son fils aurait dû faire du cinéma ; là, il aurait pu passer son temps à inventer ce genre de scènes idiotes.

– Avant, je ne savais pas que mon fils était si fort pour se battre, continua-t-elle. Je lui ai écrit pour le disputer et lui dire de ne jamais plus se remettre dans ce genre de situation périlleuse.

– Mon copain sera très déprimé, en apprenant que votre fils nous quitte définitivement.

– Pourquoi? Il voulait se venger?

– Non, je ne crois pas. Mais il n'aura plus l'espoir de mettre la main sur la valise secrète.

1090 – Bien sûr! Quelle déception pour ce garçon!

Comme son porteur s'impatientait, elle me dit au revoir, après m'avoir souhaité bonne chance. Elle remonta sur sa chaise, reprit son tricot, et disparut.

Loin du sentier principal, la tombe de l'ancêtre de notre amie 1095 la Petite Tailleuse était encaissée dans un recoin donnant au sud, parmi les sépultures des pauvres, de forme arrondie, dont certaines n'étaient déjà plus que de simples protubérances de terre de grosseurs inégales. D'autres étaient en un peu meilleur état, avec leurs pierres tombales dressées de travers au milieu des hautes herbes 1100 à demi fanées. Celle que la Petite Tailleuse honorait était très modeste, à la limite de la misère: c'était une pierre gris sombre, veinée de bleu, érodée par plusieurs décennies d'intempéries, sur laquelle étaient seulement inscrits un nom et deux dates résumant une existence anodine. Avec Luo, elle y posa les fleurs qu'ils avaient 1105 cueillies alentour: des cercis à feuilles vertes vernissées, en forme de cœur; des cyclamens qui se courbaient gracieusement; des balsamines, surnommées «fées phénix»; et aussi quelques orchidées sauvages, si rares avec leurs pétales blanc laiteux, immaculés, qui enchâssaient un cœur jaune tendre.

1110 – Pourquoi tu fais une tronche pareille? me cria la Petite Tailleuse.

– Je suis en deuil de Balzac, leur annonçai-je.

Je leur résumai ma rencontre avec la poétesse déguisée en tricoteuse, la mère du Binoclard. Ni le vol honteux des chants du vieux 1115 meunier, ni l'adieu à Balzac, ni le départ imminent du Binoclard ne les bouleversa autant que moi, au contraire. Mais le rôle du fils de dentiste que j'avais improvisé les fit éclater d'un rire qui résonna dans le cimetière silencieux.

Encore une fois, regarder rire la Petite Tailleuse me fascina. 1120 Elle était d'une beauté différente de celle qui m'avait fait craquer pendant la séance de cinéma en plein air. Quand elle riait, elle était si mignonne que, sans exagérer, j'aurais voulu me marier tout de suite avec elle, quand bien même il s'agissait de l'amie de Luo. Dans son rire, je sentais l'odeur des orchidées sauvages, plus forte que celle des autres fleurs posées sur la tombe ; son haleine était musquée et torride.

Luo et moi restâmes debout, pendant qu'elle s'agenouillait devant la tombe de son ancêtre. Elle se prosterna plusieurs fois, et lui adressa des paroles consolatrices, dans une sorte de monologue murmuré avec douceur.

Soudain, elle tourna la tête vers nous :

– Et si on allait voler les livres du Binoclard ?

Par l'intermédiaire de la Petite Tailleuse, nous suivîmes presque heure par heure ce qui se passa dans le village du Binoclard durant les jours précédant son départ, prévu pour le 4 septembre. Grâce à son métier de couturière, il lui suffisait, pour être informée des événements, de faire le tri des bavardages de ses clients, parmi lesquels se trouvaient aussi bien des femmes que des hommes, des chefs ou des enfants, venus de tous les villages environnants. Rien ne pouvait lui échapper.

Pour célébrer en grande pompe la fin de sa rééducation, le Binoclard et sa poétesse de mère préparèrent une fête pour la veille de leur départ. Le bruit courait que la mère avait acheté le chef du village, qui avait donné son accord pour tuer un buffle, afin d'offrir un banquet en plein air à tous les villageois.

Restait à savoir quel buffle serait sacrifié, et comment il serait tué, car la loi interdisait de tuer les buffles qui servaient à labourer les champs.

Bien qu'étant les deux seuls amis de l'heureux élu, nous ne figurions pas sur la liste des convives. Nous ne le regrettions pas, car nous avions décidé de mettre en œuvre notre plan de cambriolage lors du banquet, qui nous semblait le meilleur moment pour voler la valise secrète du Binoclard.

Chez la Petite Tailleuse, Luo trouva des clous, longs et rouillés, au fond d'un tiroir de la commode qui avait jadis constitué la dot de sa mère. Nous fabriquâmes un passe-partout, comme de vrais voleurs. Que la perspective était réjouissante ! Je frottai le clou le plus long sur une pierre, jusqu'à ce qu'il devînt brûlant entre mes doigts. Puis je l'essuyai sur mon pantalon encroûté de boue, et le fourbis pour lui restituer sa pure et claire brillance. Lorsque je l'approchai de mon visage, j'eus l'impression de voir s'y refléter mes yeux et le ciel de la fin de l'été. Luo se chargea de l'étape la plus délicate : d'une main, il maintint le clou sur la pierre et, de l'autre, il dressa le marteau ; celui-ci décrivit une jolie courbe dans l'air, s'abattit sur la pointe, l'aplatit, rebondit, se souleva de nouveau, et retomba dessus…

Un ou deux jours avant notre cambriolage, je rêvai que Luo me confiait le passe-partout. C'était un jour de brouillard ; je m'approchai de la maison du Binoclard en marchant presque sur la pointe des pieds. Luo faisait le guet sous un arbre. On entendait les cris et les chants révolutionnaires des villageois qui banquetaient sur un terrain vide, au centre du village. La porte du Binoclard se composait de deux battants en bois, qui pivotaient chacun dans deux trous, creusés l'un sur le seuil, l'autre sur le linteau de la porte. Une chaîne maintenue par un cadenas en cuivre fermait les battants. Le cadenas, froid, humidifié par le brouillard, résista longtemps à mon passe-partout. Je tournai ce dernier en tous sens, et forçai tant qu'il faillit se briser dans le trou de la serrure. J'essayai alors de soulever un battant, de toutes mes forces, pour faire sortir le pivot du trou du seuil. Mais là encore, ce fut un échec. J'essayai de nouveau le passe-partout, et soudain, clic, le cadenas céda. J'ouvris la porte, mais à peine eus-je pénétré dans la maison que je restai cloué sur place. Quelle horreur : la mère du Binoclard était là, devant moi, en chair et en os, assise sur une chaise, derrière une table, et tricotait tranquillement. Elle me sourit sans mot dire. Je me sentis rougir à en avoir les oreilles brûlantes, comme un garçon timide à son premier rendez-vous galant. Elle ne cria ni au secours ni au voleur. Je bafouillai une phrase, pour lui demander si son fils était là. Elle ne me répondit pas, mais continua à me sourire ; de ses mains aux longs doigts osseux, couvertes de taches sombres et de grains de beauté, elle tricotait sans une seconde de répit. Les mouvements des aiguilles qui tournaient et tournaient, émergeaient, piquaient, repiquaient et disparaissaient, éblouissaient mes yeux. Je fis demi-tour, repassai la porte, la fermai doucement derrière moi, remis le cadenas et, bien qu'aucun cri ne retentît à l'intérieur, je décampai à une vitesse folle, et courus comme un dératé. Ce fut à cet instant que je me réveillai en sursaut.

Luo avait aussi peur que moi, bien qu'il me répétât sans cesse que les cambrioleurs novices avaient toujours de la chance. Il réfléchit longtemps à mon rêve et révisa ses plans d'attaque.

Le 3 septembre vers midi, à la veille du départ du Binoclard et de sa mère, les cris déchirants d'un buffle à l'agonie s'élevèrent du fond d'une falaise et retentirent dans le lointain. On pouvait même les entendre de chez la Petite Tailleuse. Quelques minutes plus tard, des enfants vinrent nous informer que le chef du village du Binoclard avait délibérément poussé un buffle dans un ravin.

L'assassinat fut déguisé en accident ; selon son meurtrier, l'animal avait fait un faux pas dans un tournant très délicat, avait foncé dans le vide, cornes en avant ; avec un bruit étouffé, comme un roc tombant d'une falaise, il avait heurté dans sa chute un immense rocher en saillie, sur lequel il avait rebondi, pour aller s'écraser sur un autre rocher, une dizaine de mètres plus bas.

Le buffle n'était pas encore mort. Je n'oublierai jamais l'impression profonde que produisit sur moi son cri prolongé et plaintif. Entendu dans les cours des maisons, le cri du buffle est perçant et désagréable, mais dans cet après-midi chaud et calme, au milieu de l'étendue sans bornes des montagnes, alors qu'il se répercutait en écho sur les parois des falaises, il était imposant, sonore, et ressemblait au rugissement d'un lion enfermé dans une cage.

Vers trois heures, Luo et moi nous rendîmes sur les lieux du drame. Les cris du buffle s'étaient tus. Nous nous frayâmes un passage dans la foule rassemblée au bord du précipice. On nous dit que l'autorisation de tuer l'animal, délivrée par le directeur de la commune, était arrivée. Forts de cette couverture légale, le Binoclard et quelques villageois, précédés de leur chef, descendirent au pied de la falaise, pour planter un couteau dans la gorge de l'animal.

À notre arrivée, le massacre proprement dit était terminé. Nous jetâmes un coup d'œil vers le fond du ravin, terrain de l'exécution, et vîmes le Binoclard accroupi devant la masse inerte du buffle, qui recueillait le sang dégoulinant de la blessure de sa gorge dans un 1230 large chapeau fait de feuilles de bambou.

Alors que six villageois remontaient en chantant la falaise abrupte, le cadavre du buffle sur leur dos, le Binoclard et son chef restèrent en bas, assis côte à côte, près du chapeau de feuilles de bambou rempli de sang.

1235 — Qu'est-ce qu'ils font là ? demandai-je à un spectateur.

— Ils attendent que le sang coagule, me répondit-il. C'est un remède contre la lâcheté. Si vous voulez devenir courageux, il faut l'avaler alors qu'il est encore tiède et mousseux.

Luo, qui était d'un naturel curieux, m'invita à descendre avec lui 1240 un bout du sentier, pour observer la scène de plus près. De temps en temps, le Binoclard levait les yeux vers la foule, mais j'ignorais s'il avait remarqué notre présence. Finalement, le chef sortit son couteau, dont la lame me parut longue et pointue. Du bout des doigts, il en caressa doucement le fil, et coupa le bloc de sang coagulé en 1245 deux parts, une pour le Binoclard, l'autre pour lui-même.

Nous ne savions pas où était la mère du Binoclard, à ce moment-là. Qu'aurait-elle pensé si elle s'était trouvée là, à côté de nous, à regarder son fils prendre le sang dans la paume de ses mains, et y plonger son visage comme un porc fouillant de son groin un tas 1250 de fumier ? Il était si pingre qu'il suça ensuite ses doigts un à un, pour lécher le sang jusqu'à la dernière goutte. Sur le chemin du retour, je remarquai que sa bouche continuait à mâcher le goût de ce remède.

— Heureusement, me dit Luo, que la Petite Tailleuse n'est pas 1255 venue avec nous.

La nuit tomba. Sur un terrain vide, dans le village du Binoclard, des colonnes de fumée montèrent d'un foyer sur lequel était installée une immense marmite, qui se distinguait par son extravagante ampleur, sûrement un patrimoine du village.

1260 La scène, vue de loin, avait un air pastoral et chaleureux. La distance nous empêchait de voir la viande du buffle qui, coupée en morceaux, bouillait dans la grande marmite, mais son odeur, pimentée, torride, un peu vulgaire, nous faisait saliver. Les villageois, surtout des femmes et des enfants, étaient réunis autour du foyer. Certains apportaient des pommes de terre, qu'ils jetaient dans la marmite, d'autres du bois ou des branches d'arbre, pour entretenir le feu. Peu à peu, des œufs, des épis de maïs, des fruits s'amoncelèrent autour du récipient. La mère du Binoclard était la star incontournable de la soirée. Elle était belle dans son genre. L'éclat de son teint, rehaussé par le vert foncé de sa veste en velours côtelé, contrastait singulièrement avec la peau sombre et tannée des villageois. Une fleur, peut-être une giroflée, était piquée sur sa poitrine. Elle montrait son tricot aux femmes du village, et son œuvre pourtant inachevée suscitait des cris d'admiration.

La brise nocturne continuait de charrier une odeur appétissante, de plus en plus pénétrante. Le buffle assassiné devait être sacrément âgé, car la cuisson de sa chair coriace prit plus de temps que celle d'un vieil aigle. Il mit non seulement notre patience de voleurs à l'épreuve, mais aussi celle du Binoclard, nouvellement converti en buveur de sang : nous le vîmes plusieurs fois, excité comme une puce, soulever le couvercle de la marmite, y plonger ses baguettes, en sortir un grand morceau de viande fumant, le renifler, l'approcher de ses lunettes pour l'examiner, et le remettre dans le bouillon avec déception.

Tapi dans l'obscurité derrière deux rochers qui faisaient face au terrain, j'entendis Luo murmurer à mon oreille :

– Mon vieux, voilà le clou du dîner d'adieu.

Suivant son doigt du regard, je vis arriver cinq vieilles femmes asexuées, vêtues de longues robes noires qui claquaient dans le vent automnal. Malgré la distance, je distinguai leurs visages, qui se ressemblaient comme ceux de sœurs, et dont les traits paraissaient taillés dans le bois. Je reconnus tout de suite parmi elles les quatre sorcières qui étaient venues chez la Petite Tailleuse.

Leur apparition au banquet d'adieu semblait avoir été organisée par la mère du Binoclard. À l'issue d'une brève discussion, elle sortit son portefeuille et remit un billet à chacune, sous les yeux brillant de convoitise des villageois.

Cette fois, il n'y avait pas qu'une sorcière à porter un arc et des flèches, mais les cinq en étaient armées. Peut-être qu'accompagner un heureux élu au loin demandait plus de moyens guerriers que de veiller sur l'âme d'un malade atteint de paludisme. Ou bien la somme que la Petite Tailleuse avait pu payer pour le rituel était-elle très inférieure à celle proposée par la poétesse, jadis connue dans cette province de cent millions d'âmes.

En attendant que la chair du buffle fût suffisamment cuite pour fondre dans leurs bouches édentées, l'une des cinq vieilles examina les lignes de la main gauche du Binoclard, à la lueur du grand feu.

Bien que notre position ne fût pas très éloignée, il nous fut impossible d'entendre les mots proférés par la sorcière. Nous la vîmes baisser les paupières, si bas qu'elle semblait fermer les yeux, remuer ses lèvres minces, flétries sur sa bouche édentée, et prononcer des phrases qui captèrent toute l'attention du Binoclard et de sa mère. Lorsqu'elle arrêta de parler, tout le monde la regarda, dans un silence gênant, puis une rumeur s'éleva parmi les villageois.

– Elle a l'air d'avoir annoncé un sinistre, me dit Luo.

– Elle a peut-être vu que son trésor était menacé de vol.

– Non, elle a plutôt vu des démons qui voulaient lui barrer le passage.

Ce n'était sans doute pas faux car, au même instant, les cinq sorcières se redressèrent, soulevèrent leurs arcs en l'air, dans un grand mouvement de bras, et les croisèrent en poussant des cris perçants.

Puis elles entamèrent autour du feu une danse d'exorcisme. Au début, peut-être à cause de leur grand âge, elles se contentèrent de tourner lentement en rond, la tête baissée. De temps en temps, elles relevaient la tête, lançaient comme des voleuses des coups d'œil craintifs dans toutes les directions, et la baissaient de nouveau. Des refrains psalmodiés à la manière de prières bouddhiques, sortes de marmonnements incompréhensibles, sortirent de leurs bouches et furent repris par la foule. Jetant leurs arcs par terre, deux des sorcières se mirent soudain à secouer leur corps durant un court instant, et j'eus l'impression qu'elles simulaient, par ces

convulsions, la présence des démons. On eût dit que des spectres avaient pénétré leur corps, les avaient transformées en des monstres
1335 affreux, convulsés. Les trois autres, à la manière de guerriers, faisaient dans leur direction de grands gestes de tir, en poussant des cris qui imitaient exagérément le bruit des flèches. Elles ressemblaient à trois corbeaux. Leurs robes, longues et noires, se déployaient dans la fumée, au rythme de leur danse, puis retombaient et traînaient
1340 par terre, soulevant des nuages de poussière.

La danse des « deux spectres » se fit de plus en plus pesante, comme si les flèches invisibles qu'ils avaient reçues en plein visage étaient empoisonnées, puis leurs pas ralentirent. Luo et moi partîmes juste avant leur chute, qui fut spectaculaire.

1345 Le banquet dut commencer après notre départ. Les chœurs qui accompagnaient la danse des sorcières se turent lorsque nous traversâmes le village.

Pas un villageois, tous âges confondus, n'aurait voulu rater la chair du buffle, cuite en pot-au-feu, avec des piments hachés et des
1350 clous de girofle. Le village était désert, exactement comme Luo l'avait prévu (cet excellent conteur n'était pas dépourvu d'intelligence stratégique). Subitement, mon rêve me revint à l'esprit.

– Tu veux que je fasse le guet ? demandai-je.

– Non, me dit-il. On n'est pas dans ton rêve.

*

1355 Il humecta entre ses lèvres l'ancien clou rouillé transformé en passe-partout. L'objet entra silencieusement dans le trou du cadenas, tourna vers la gauche, puis vers la droite, revint à gauche, recula d'un millimètre… un déclic sec, métallique, retentit à nos oreilles, et la serrure en cuivre finit par céder.

1360 Nous nous glissâmes à l'intérieur de la maison du Binoclard, et refermâmes aussitôt les battants de la porte derrière nous. On ne voyait pas grand-chose dans l'obscurité ; nous ne nous distinguions presque pas l'un l'autre. Mais dans la cabane, flottait une odeur de déménagement qui nous rongea de jalousie.

1365   À travers la fente des deux battants, je jetai un coup d'œil au-dehors : pas la moindre ombre humaine, dans l'immédiat. Pour des raisons de sécurité, c'est-à-dire pour éviter que les yeux vigilants d'un éventuel passant ne remarquassent l'absence de cadenas sur la porte, nous poussâmes les deux battants vers l'extérieur, jusqu'à

1370 les écarter au maximum, pour permettre à Luo, ainsi qu'il l'avait prévu, de passer une main en dehors, de remettre la chaîne en place, et de la refermer avec le cadenas.

     Mais nous oubliâmes de vérifier la fenêtre, par laquelle nous comptions sortir à la fin de l'action. C'est que nous fûmes littérale-

1375 ment éblouis, quand la torche électrique s'alluma dans la main de Luo : posée au-dessus des autres bagages, la valise en cuir souple, notre fabuleux butin, apparut dans le noir, comme si elle nous attendait, brûlant d'envie d'être ouverte.

     – Gagné ! dis-je à Luo.

1380   Durant l'élaboration de notre plan, quelques jours auparavant, nous avions conclu que la réussite de notre visite illégale dépendait d'une chose : savoir où le Binoclard cachait sa valise. Comment pour-rait-on la trouver ? Luo avait passé en revue tous les indices possibles et envisagé toutes les solutions imaginables, et il était parvenu, Dieu

1385 merci, à déterminer un plan dont l'action devait impérativement se dérouler pendant le banquet d'adieu. C'était réellement une occasion unique. Quoique très rusée, la poétesse, étant donné son âge, n'avait pas pu échapper à l'amour de l'ordre, et n'aurait pas supporté l'idée de chercher une valise au matin du départ. Il faudrait

1390 que tout fût prêt avant, et impeccablement rangé.

     Nous nous approchâmes de la valise. Elle était ficelée par une grosse corde de paille tressée, nouée en croix. Nous la débarrassâmes de ses liens, et l'ouvrîmes silencieusement. À l'intérieur, des piles de livres s'illuminèrent sous notre torche électrique ; les grands

1395 écrivains occidentaux nous accueillirent à bras ouverts : à leur tête, se tenait notre vieil ami Balzac, avec cinq ou six romans, suivi de Victor Hugo, Stendhal, Dumas, Flaubert, Baudelaire, Romain Rol-land, Rousseau, Tolstoï, Gogol, Dostoïevski, et quelques Anglais : Dickens, Kipling, Emily Brontë…

400 Quel éblouissement ! J'avais l'impression de m'évanouir dans les brumes de l'ivresse. Je sortis les romans un par un de la valise, les ouvris, contemplai les portraits des auteurs, et les passai à Luo. De les toucher du bout des doigts, il me semblait que mes mains, devenues pâles, étaient en contact avec des vies humaines.

405 – Ça me rappelle la scène d'un film, me dit Luo, quand les bandits ouvrent une valise pleine de billets...

– Tu sens des larmes de joie monter en toi ?

– Non. Je ne ressens que de la haine.

– Moi aussi. Je hais tous ceux qui nous ont interdit ces livres.

1410 La dernière phrase que je prononçai m'effraya, comme si un écouteur pouvait être caché quelque part dans la pièce. Une telle phrase, dite par mégarde, pouvait coûter plusieurs années de prison.

– Allons-y ! dit Luo en fermant la valise.

– Attends !

1415 – Qu'est-ce que tu as ?

– J'hésite... Réfléchissons encore une fois : le Binoclard va sûrement soupçonner que c'est nous, les voleurs de sa valise. On est fichus, s'il nous dénonce. N'oublie pas qu'on n'a pas des parents comme les autres.

420 – Je te l'ai déjà dit, sa mère ne lui permettra pas. Sinon, tout le monde saura que son fils cachait des bouquins interdits ! Et il ne pourra jamais plus quitter le Phénix du Ciel.

Après un silence de quelques secondes, j'ouvris la valise :

– Si on prend seulement quelques livres, il ne s'en apercevra 425 pas.

– Mais je veux les lire tous, affirma Luo avec détermination.

Il referma la valise et, posant une main dessus, comme un chrétien prêtant serment, il me déclara :

– Avec ces livres, je vais transformer la Petite Tailleuse. Elle ne 430 sera plus jamais une simple montagnarde.

Nous nous dirigeâmes silencieusement vers la chambre. Je marchais en avant, avec la torche électrique, et Luo me suivait, la valise à la main. Elle semblait très lourde ; durant la traversée, je l'entendis cogner contre les jambes de Luo, heurter au passage le

1435 lit du Binoclard et celui de sa mère qui, bien que petit et improvisé
avec des planches de bois, contribuait à rendre la chambre encore
plus exiguë.

À notre surprise, la fenêtre était clouée. Nous essayâmes de la
pousser, mais elle ne fit entendre qu'un léger grincement, presque
1440 un soupir, sans céder d'un centimètre.

La situation ne nous parut pas catastrophique. Nous retournâ-
mes tranquillement dans la salle à manger, prêts à refaire la même
manœuvre que précédemment: écarter les deux battants de la porte,
sortir une main par la fente, et introduire le passe-partout dans le
1445 cadenas en cuivre.

Soudain, Luo me souffla:

– Chut!

Effrayé, j'éteignis immédiatement la torche électrique. Des bruits
de pas rapides, à l'extérieur, nous figèrent de stupeur. Il nous fal-
1450 lut une précieuse minute pour réaliser qu'ils s'approchaient dans
notre direction.

Au même instant, nous entendîmes vaguement les voix de deux
personnes, un homme et une femme, mais il nous fut impossible de
distinguer s'il s'agissait du Binoclard et de sa mère. Nous préparant
1455 au pire, nous reculâmes vers la cuisine. Au passage, j'allumai une
seconde la torche électrique, pendant que Luo replaçait la valise
sur les bagages.

C'était bien ce que nous redoutions; la mère et le fils nous tombaient dessus, au beau milieu de notre cambriolage. Ils discutaient
1460 près de la porte.

– Je sais, c'est le sang du buffle qui ne m'a pas réussi, dit le
fils. J'ai des renvois puants qui me remontent de l'estomac jusque
dans la gorge.

– Heureusement, j'ai emporté un médicament pour la digestion,
1465 répondit la mère.

Complètement paniqués, nous ne parvenions pas à trouver un
coin pour nous cacher dans la cuisine. Tout était si noir qu'on n'y
voyait rien. Je me cognai dans Luo, alors qu'il soulevait le couvercle
d'une grande jarre à riz. Il perdait la raison.

470   – C'est trop petit, chuchota-t-il.

      Un cacophonique bruit de chaîne retentit à nos oreilles, puis la porte s'ouvrit à l'instant même où nous foncions dans la chambre, pour nous faufiler chacun sous un lit.

      Ils entrèrent dans la salle à manger, et allumèrent la lampe à
475 pétrole.

      Tout allait de travers. Au lieu de me cacher sous le lit du Binoclard, moi qui étais plus grand et plus costaud que Luo, j'étais coincé sous celui de sa mère, nettement moins spacieux, et surtout doté du seau hygiénique comme l'indiquait une odeur incommodante,
480 facilement définissable. Un essaim de mouches volait autour de moi. À tâtons, j'essayai de m'allonger autant que me le permettait l'exiguïté du lieu, mais ma tête faillit renverser le seau nauséabond ; j'entendis un petit clapotis, et l'odeur, pénétrante et écœurante, en fut accentuée. Par répugnance instinctive, mon corps fit un mou-
485 vement assez violent, qui produisit un bruit suffisamment audible, insolite et traître.

      – Tu n'as pas entendu quelque chose, maman ? demanda la voix du Binoclard.

      – Non.

490   Un silence total suivit, qui dura presque une éternité.

      J'imaginais comment ils dressaient les oreilles, dans une immobilité théâtrale, pour capter le moindre bruit.

      – Je n'entends que ton ventre gargouiller, dit la mère.

      – C'est le sang du buffle que je digère mal. Je me sens mal fichu,
495 je ne sais pas si j'aurai la force de retourner à la fête.

      – Je n'aime pas ça, il faut qu'on y aille ! insista la mère d'une voix autoritaire. Voilà, j'ai trouvé les comprimés. Prends-en deux, ça va calmer tes douleurs d'estomac.

      J'entendis le fils obéissant se diriger vers la cuisine, sans doute
500 pour prendre de l'eau. La lumière de la lampe à pétrole s'éloigna avec lui. Bien que ne voyant pas Luo dans le noir, je sentais qu'il se félicitait autant que moi de ne pas être resté dans la cuisine.

      Ses comprimés avalés, le Binoclard retourna dans la salle à manger. Sa mère lui demanda :

1505   — La valise de livres n'est pas empaquetée ?

— Si, c'est moi qui l'ai fait ce soir.

— Mais regarde ! Tu ne vois pas la corde qui traîne par terre ?

Ciel ! On n'aurait vraiment pas dû l'ouvrir. Un tressaillement me parcourut l'échine, recourbée sous le lit. Je m'en voulais. Je cherchai
1510 en vain le regard de mon complice dans l'obscurité.

La voix calme du Binoclard était peut-être l'indice d'une émotion violente ;

— J'ai déterré la valise derrière la maison, à la nuit tombée. En rentrant, j'ai enlevé la terre et les autres cochonneries qui la recou-
1515 vraient, et j'ai vérifié scrupuleusement que les livres n'étaient pas moisis. Et à la fin, juste avant d'aller manger avec les villageois, je l'ai ficelée avec cette grosse corde en paille.

— Qu'est-ce qui s'est passé ? Quelqu'un s'est introduit dans la maison pendant la fête ?

1520 La lampe à pétrole à la main, le Binoclard se précipita vers la chambre. Je vis, sous le lit en face, les yeux de Luo luire sous l'éclairage qui approchait. Dieu merci, les pieds du Binoclard s'arrêtèrent sur le seuil. Il dit à sa mère, en se retournant :

— Ce n'est pas possible. La fenêtre est toujours clouée et la porte
1525 cadenassée.

— Je crois que tu devrais quand même jeter un coup d'œil dans la valise, voir s'il manque des livres. Tes deux anciens copains me font peur. Je ne sais combien de fois je te l'ai écrit : il ne fallait pas fréquenter ces types, ils sont trop malins pour toi, mais tu ne m'as
1530 pas écoutée.

J'entendis la valise s'ouvrir et la voix du Binoclard répondre :

— Je me suis fait ami avec eux parce que j'ai pensé que papa et toi aviez des problèmes de dents, et qu'un jour, peut-être, le père de Luo pourrait vous être utile.

1535   — C'est vrai ?

— Oui, maman.

— Tu es mignon, mon fils. (La voix de la mère devint sentimentale.) Même dans une situation si dure, tu penses encore à nos dents.

— Maman, j'ai vérifié : aucun livre n'a disparu.

540 – Tant mieux, c'était une fausse alerte. Allez, on y va.

– Attends, passe-moi la queue du buffle, je vais la mettre dans la valise.

Quelques minutes plus tard, alors qu'il ficelait la valise, j'entendis le Binoclard crier :

545 – Merde !

– Tu sais que je n'aime pas les gros mots, mon fils.

– J'ai la diarrhée ! annonça le Binoclard d'une voix souffrante.

– Va sur le seau, dans la chambre !

À notre grand soulagement, nous entendîmes le Binoclard courir 550 vers l'extérieur.

– Où tu vas ? cria la mère.

– Dans un champ de maïs.

– Tu as emporté du papier ?

– Non, répondit la voix du fils en s'éloignant.

555 – J'arrive avec ce qu'il faut ! cria la mère.

Quelle chance pour nous que ce futur poète eût la manie de se décharger le ventre en plein air ! Je peux imaginer la scène d'horreur plus qu'humiliante qu'il nous aurait infligée, s'il avait foncé dans la chambre, tiré en vitesse le seau hygiénique de sous le lit, s'il 560 s'était assis dessus, et avait évacué le sang du buffle sous notre nez, dans un vacarme aussi assourdissant que la chute d'une cascade impétueuse.

Sitôt que la mère fut sortie en courant, j'entendis Luo me murmurer dans le noir :

565 – Vite ! On se tire !

À notre passage dans la salle à manger, Luo saisit la valise de livres. Et après une heure de course folle sur le sentier, quand nous décidâmes enfin de faire une halte, il l'ouvrit. La queue du buffle, noire, à bout poilu, souillée de taches sombres de sang, trônait 570 au-dessus des piles de livres.

Elle était d'une longueur exceptionnelle ; c'était sans doute celle du buffle qui avait cassé les lunettes du Binoclard.

Pour comprendre l'essentiel

Une valise secrète au cœur de l'action

1 Tous les épisodes de ce chapitre sont liés à un unique enjeu:
la « valise secrète » dont il est question dès la première ligne.
Dites quelles épreuves les héros devront traverser pour l'obtenir
en précisant le rôle joué par cet objet dans chacun de ces épisodes.

2 Cette valise est présentée comme un véritable trésor. Relevez tous
les éléments qui contribuent à créer cette impression.

3 Les trois personnages principaux convoitent la valise. Analysez leurs
motivations respectives.

La veine comique

4 Le narrateur se moque souvent de lui-même avec humour
(autodérision*). Relevez des tournures ou des expressions qui le prouvent.

5 La scène du vieux meunier de la montagne fait appel à plusieurs
types de comique (comique de situation, de caractère, de geste, de mots,
quiproquo*). Relevez-les et analysez-les.

6 Le Binoclard est un anti-héros, dépourvu des qualités qui fondent l'amitié. Faites de lui un portrait qui mettra en évidence sa déloyauté, sa lâcheté et sa faiblesse physique.

Les livres du livre

7 Avant même que les garçons ne puissent lire le roman de Balzac, la censure qui pèse sur les livres constitue pour eux une source de colère et la littérature une source de rêverie. Montrez-le en citant des passages précis du texte.

8 Dans ce chapitre, les livres sont également évoqués dans leur matérialité. Repérez les passages où ils apparaissent dans leur réalité concrète et sensuelle.

9 Pour les deux garçons, il n'y a pas de frontière entre la littérature et la vie mais une continuité. Montrez que le roman de Balzac ouvre les jeunes gens, et en particulier Luo, à la littérature certes mais aussi à la vie même.

Rappelez-vous !

• Ce deuxième chapitre présente une **forte unité narrative** : toute l'action est organisée autour d'un **unique enjeu : la valise du Binoclard**. Identifier son mystérieux contenu, puis se l'approprier : tels sont les objectifs des deux amis dans ce chapitre dont tous les épisodes constituent autant de péripéties d'une unique aventure qui s'achève, naturellement, avec le vol de la valise.

• Ce chapitre est du reste sans doute le plus drôle du roman. Les **multiples registres du comique** y sont en effet déployés : comiques de caractère (le lâche et maladroit Binoclard par exemple), de situation (l'imposture des deux garçons auprès du vieux meunier de la montagne, quiproquo* autour de la lampe à huile), de gestes (les déguisements), de mots (le langage du vieux de la montagne), autodérision* (le narrateur se moquant de sa propre naïveté ou de sa maladresse), comiques scatologique (la peu glorieuse sortie du Binoclard) et héroï-comique* (le dîner avec le vieux de la montagne). Le **ton souvent humoristique** de la narration n'est pas l'un des moindres charmes de ce roman.

Vers l'oral du Bac

Analyse des pages 56 à 57, lignes 290 à 331

👉 Montrer en quoi ce passage, marqué par l'entrée en scène de Balzac, est une déclaration d'amour à la littérature

Conseils pour la lecture à voix haute

– Ce passage retrace un moment décisif de la vie du narrateur:
votre lecture devra s'efforcer de restituer l'émotion avec laquelle
il évoque cette découverte émerveillée du pouvoir de la littérature.

– On attend de vous un peu de fougue dans la voix pour rendre compte
de l'exaltation intellectuelle et affective du personnage à ce moment du
récit: une lecture timide ou mélancolique n'aurait guère de sens ici.

Analyse du texte

▧ *Introduction rédigée*

Dans *Balzac et la Petite Tailleuse chinoise*, les deux jeunes garçons, Luo et
le narrateur, sont envoyés à la campagne pour y subir leur rééducation
politique. Mais en fait de rééducation, c'est surtout une éducation à la
littérature et à l'amour qu'ils vont connaître. Au début du deuxième
chapitre, les garçons découvrent une valise mystérieuse appartenant au
Binoclard, un autre jeune homme en rééducation. Quand ils comprennent
qu'elle est remplie de livres, ils n'ont de cesse d'obtenir que leur camarade
leur en prête un. Ce texte comprend deux parties : la première s'arrête sur
la traduction du nom de Balzac en chinois et les circonstances qui ont mis
son roman entre les mains des garçons; la seconde décrit les effets de la
lecture d'*Ursule Mirouët* sur les deux amis et en particulier sur le
narrateur. Ce moment fort du roman nous intéresse pour trois raisons: il

constitue l'entrée en scène de Balzac, que le titre nous faisait attendre ; il relate la découverte émerveillée du grand romancier français par les deux protagonistes ;

et il nous invite, par une narration qui nous adresse des clins d'œil, à réfléchir aux enjeux de la lecture en général et de notre lecture de ce roman en particulier.

■ *Analyse guidée*

I. L'entrée en scène de Balzac

a. La découverte du romancier français par les deux garçons n'est pas sans évoquer une scène de rencontre amoureuse. Relevez des éléments qui peuvent rappeler ce type de scène.

b. Cet extrait représente un instant décisif de la vie des héros, un moment qui les transforme. Montrez comment l'on passe de l'étrangeté d'un nom à la familiarité d'un univers.

II. La magie de la littérature : une ouverture à la vie

a. Avant même d'être lu, le livre fait rêver le narrateur, provoquant son imagination et même ses sensations. Montrez-le en étudiant les images qui surgissent à la découverte du livre.

b. Ce texte nous montre des lecteurs littéralement absorbés par leur lecture. Analysez la façon dont se manifeste l'envoûtement des deux personnages.

c. La plus belle idée de ce texte est sans doute celle de la continuité entre la vie et la littérature. Étudiez comment se manifeste l'abolition de la frontière entre la fiction et la vie.

III. Les jeux de miroir de la narration

a. Le nom de Balzac est pour ces jeunes lecteurs « exotique ». Expliquez en quoi ce trait est savoureux pour un lecteur français amené à s'interroger sur la relativité de la notion d'exotisme.

b. Ce texte présente des anticipations (prolepses*). Relevez-les et dites en quoi elles accentuent le caractère décisif de cette découverte.

c. Ce texte peut-être considéré comme une mise en abyme. Montrez en quoi on peut y voir comme un miroir qui nous serait tendu.

■ *Conclusion rédigée*

Ce texte, dans lequel les jeux d'écho de la narration permettent de multiples effets de sens, est l'un des moments forts du roman de Dai Sijie puisqu'il signale l'entrée en scène de celui que le titre nous faisait attendre : Balzac. Le narrateur y souligne la continuité paradoxale et magique entre la littérature et la vie. Le titre lui-même, du reste, ne met-il pas en œuvre cette continuité ? Il fait en effet se rencontrer Balzac, vrai écrivain français traité ici comme un personnage romanesque, et une petite tailleuse chinoise de fiction inspirée d'une jeune fille jadis connue par l'auteur, dans un espace mêlant fiction et réalité, mensonge et vérité − autrement dit dans l'espace de la littérature.

Les trois questions de l'examinateur

Question 1. Le narrateur affirme que la lecture de ce roman « bouleversa » sa vie et celle de ses camarades. Comment le pouvoir de la littérature est-il mis en scène dans l'affiche du film tourné par Dai Sijie d'après son propre roman (photographie reproduite au début de l'ouvrage, au verso de la couverture) ?

Question 2. Dans cet extrait, le narrateur se présente comme « encore dans les limbes de l'adolescence ». L'enjeu de ce roman n'est-il pas justement de conduire les trois personnages à l'âge adulte ?

Question 3. Connaissez-vous d'autres romans d'éducation ?

Bien des années plus tard, une image de la période de notre rééducation reste toujours gravée dans ma mémoire, avec une exceptionnelle précision : sous le regard impassible d'un corbeau à bec rouge, Luo, une hotte sur le dos, avançait à quatre pattes sur un passage large d'environ trente centimètres, bordé de chaque côté par un profond précipice. Dans sa hotte en bambou, anodine, sale mais solide, était caché un livre de Balzac, *Le Père Goriot*, dont le titre chinois était *Le Vieux Go* ; il allait le lire à la Petite Tailleuse, qui n'était encore qu'une montagnarde, belle mais inculte.

Durant tout le mois de septembre, après notre cambriolage réussi, nous fûmes tentés, envahis, conquis par le mystère du monde extérieur, surtout celui de la femme, de l'amour, du sexe, que les écrivains occidentaux nous révélaient jour après jour, page après page, livre après livre. Non seulement le Binoclard était parti sans oser nous dénoncer mais, par chance, le chef de notre village était allé à la ville de Yong Jing, pour assister à un congrès des communistes du district. Profitant de cette vacance du pouvoir politique, et de la discrète anarchie qui régnait momentanément dans le village, nous refusâmes d'aller travailler aux champs, ce dont les villageois, ex-cultivateurs d'opium reconvertis en gardiens de nos âmes, se fichèrent complètement. Je passai ainsi mes journées, ma porte plus hermétiquement verrouillée que jamais, avec des romans occidentaux. Je laissai de côté les Balzac, passion exclusive de Luo, et tombai tour à tour amoureux, avec la frivolité et le sérieux de mes dix-neuf ans, de Flaubert, de Gogol, de Melville, et même de Romain Rolland.

Parlons de ce dernier. La valise du Binoclard ne contenait qu'un livre de lui, le premier des quatre volumes de *Jean-Christophe*. Comme il s'agissait de la vie d'un musicien, et que j'étais moi-même capable de jouer au violon des morceaux tels que *Mozart pense à Mao*, je fus tenté de le feuilleter, à la manière d'un flirt sans conséquence, d'autant plus qu'il était traduit par Monsieur Fu Lei, le traducteur de Balzac. Mais dès que je l'ouvris, je ne le lâchai plus. Mes livres préférés étaient normalement les recueils de nouvelles, qui vous racontent une histoire bien ficelée, avec des idées brillantes, quelquefois amusantes, ou à vous couper le souffle, des histoires qui vous accompagnent toute votre vie. Quant aux longs romans, à part quelques exceptions, je restais plutôt méfiant. Mais *Jean-Christophe*, avec son individualisme acharné, sans aucune mesquinerie, fut pour moi une révélation salutaire. Sans lui, je ne serais jamais parvenu à comprendre la splendeur et l'ampleur de l'individualisme. Jusqu'à cette rencontre volée avec *Jean-Christophe*, ma pauvre tête éduquée et rééduquée ignorait tout simplement qu'on pût lutter seul contre le monde entier. Le flirt se transforma en un grand amour. Même l'excessive emphase à laquelle l'auteur avait cédé ne me paraissait pas nuisible à la beauté de l'œuvre. J'étais littéralement englouti par le fleuve puissant des centaines de pages. C'était pour moi le livre rêvé : une fois que vous l'aviez fini, ni votre sacrée vie ni votre sacré monde n'étaient plus les mêmes qu'avant.

Mon adoration pour *Jean-Christophe* fut telle que, pour la première fois de ma vie, je voulus le posséder seul, et non plus comme un patrimoine commun à Luo et à moi. Sur la page blanche, derrière la couverture, je rédigeai donc une dédicace disant que c'était un cadeau pour le futur anniversaire de mes vingt ans, et je demandai à Luo de signer. Il me dit qu'il se sentait flatté, l'occasion étant si rare qu'elle en devenait historique. Il calligraphia son nom d'un unique trait de pinceau, débridé, généreux, fougueux, liant ensemble les trois caractères en une belle courbe, qui occupait presque la moitié de la page. De mon côté, je lui dédicaçai trois romans de Balzac, *Le Père Goriot*, *Eugénie Grandet* et *Ursule Mirouët*, en cadeau de nouvel an, qui aurait lieu dans quelques mois. Sous ma dédicace, je dessinai

trois objets qui représentaient chacun des trois caractères chinois composant mon nom[1]. Pour le premier, je dessinai un cheval au galop, hennissant, avec une somptueuse crinière flottant au vent. Pour le deuxième, je représentai une épée longue et pointue, avec
65 un manche en os finement ouvragé, enchâssé de diamants. Quant au troisième, ce fut une petite clochette de troupeau, autour de laquelle j'ajoutai de nombreux traits formant un rayonnement, comme si elle avait remué, retenti, pour appeler au secours . Je fus si content de cette signature que je faillis verser dessus quelques
70 gouttes de mon sang, pour la sacraliser.

Vers le milieu du mois, une violente tempête se déchaîna toute une nuit dans la montagne. Il plut des cordes. Pourtant, le lendemain, dès les premières lueurs de l'aube, Luo, fidèle à son ambition de créer une fille belle et cultivée, partit avec *Le Père Goriot* dans sa
75 hotte en bambou, et, comme un chevalier solitaire sans cheval, il disparut sur le sentier enveloppé par la brume matinale, en direction du village de la Petite Tailleuse.

Pour ne pas violer le tabou collectif imposé par le pouvoir politique, il rebroussa chemin le soir et rentra sagement dans notre
80 maison sur pilotis. Cette nuit-là, il me raconta qu'à l'aller comme au retour il avait dû escalader un passage étroit, dangereux, formé par un immense éboulement de terre, dû aux ravages de la tempête. Il m'avoua :

– La Petite Tailleuse ou toi oseriez sûrement courir dessus. Mais
85 moi, même en avançant à quatre pattes, j'ai tremblé d'un bout à l'autre.

– Il est très long ?

– Au moins quarante mètres.

Pour moi, ce fut toujours un mystère : Luo n'avait jamais de problème avec quoi que ce soit, sauf avec la hauteur. C'était un
90 intellectuel, qui n'avait jamais grimpé à un arbre de sa vie. Je me rappelle encore ce lointain après-midi, cinq ou six ans plus tôt,

---

1. Le nom du narrateur ne nous est jamais donné dans le récit. Toutefois, nous avons ici, avec ces trois objets représentant les trois caractères chinois composant son nom, un indice (indéchiffrable pour la plupart des lecteurs français !) : un cheval, une épée, une clochette pourrait en effet donner « Jian Ling Ma ».

au cours duquel nous avions eu l'idée d'escalader l'échelle en fer
rouillée d'un château d'eau. Dès le départ, il égratigna les paumes
de ses mains sur la rouille, et saigna un peu. Parvenu à une hauteur
95 de quinze mètres, il me dit : « J'ai l'impression que les barreaux de
l'échelle vont céder sous mes pieds, à chaque pas. » Sa main griffée
lui faisait mal, ce qui alimentait son angoisse. Il finit par renoncer,
et me laissa monter seul ; du sommet de la tour, je lui envoyai un
crachat moqueur, qui disparut aussitôt dans le vent. Les années
100 passèrent, mais sa peur de la hauteur demeura. Dans la montagne,
comme il le disait, la Petite Tailleuse et moi courions sur les falaises
sans aucune hésitation, mais une fois passés de l'autre côté, nous
devions souvent attendre Luo pendant un long moment, parce que,
n'osant jamais avancer debout, il grimpait à quatre pattes.

105   Un jour, pour changer d'air, je l'accompagnai dans son pèlerinage de la beauté, au village de la Petite Tailleuse.

    Au passage dangereux dont Luo m'avait parlé, la brise matinale
se mua en grand vent soufflant dans la montagne. Au premier coup
d'œil, je compris à quel point Luo s'était dépassé en prenant ce
110 chemin. Moi-même, en posant les pieds dessus, je tremblais de peur.

    Une pierre s'éboula sous ma botte gauche et, presque en même
temps, celle de droite fit tomber quelques mottes de terre. Elles
disparurent dans le vide, et il fallut attendre longtemps avant de
percevoir le bruit de leur chute, qui résonna en un lointain écho
115 dans le précipice de droite, puis dans celui de gauche.

    Debout sur ce passage large d'une trentaine de centimètres,
surplombant un gouffre de chaque côté, je n'aurais jamais dû
regarder en bas : à droite, c'était une paroi rocheuse, découpée,
pelée, d'une profondeur vertigineuse, dans laquelle la frondaison
120 des arbres n'était plus vert foncé mais d'un gris blanchâtre, vague
et brumeux. Mes oreilles se mirent soudain à bourdonner quand
je plongeai mon regard vers le gouffre de gauche : la terre s'était
éboulée, de façon aussi violente que spectaculaire, et formait un
à-pic vertical de cinquante mètres.

125   Heureusement, ce passage si dangereux n'était long que d'une
trentaine de mètres. À l'autre extrémité, perché sur un rocher, se

tenait un corbeau à bec rouge, la tête affreusement enfoncée dans le cou.

– Tu veux que je porte la hotte ? demandai-je d'un air désinvolte
130 à Luo, resté debout au début du passage.

– Oui, prends-la.

Quand je la mis sur mon dos, une bourrasque de vent agressive souffla, les bourdonnements de mes oreilles s'intensifièrent et, dès que je bougeai la tête, ce mouvement me procura un premier ver-
135 tige, tolérable, presque agréable. Je fis quelques pas. Puis je tournai la tête, et vis Luo toujours à la même place, sa silhouette vacillant légèrement devant mes yeux, comme un arbre sous le vent.

Regardant droit devant moi, j'avançai mètre après mètre, tel un funambule. Mais au milieu du chemin, les rochers de la montagne en
140 face, où se tenait le corbeau à bec rouge, se penchèrent violemment vers la droite, puis vers la gauche, comme dans un tremblement de terre. Immédiatement, instinctivement, je me baissai, et mon vertige ne cessa que lorsque mes deux mains parvinrent à toucher le sol. La sueur ruisselait sur mon dos, ma poitrine et mon front. D'une
145 main, j'essuyai mes tempes ; qu'elle était froide, cette sueur !

Je tournai la tête vers Luo, il me cria quelque chose, mais mes oreilles étaient presque bouchées, de sorte que sa voix ne me fut qu'un bourdonnement de plus. Les yeux levés pour éviter de regar-der en bas, je vis, dans l'éblouissante lumière du soleil, la silhouette
150 noire du corbeau qui tournoyait au-dessus de mon crâne, en battant lentement des ailes.

« Qu'est-ce qui t'arrive ? » me dis-je.

À cet instant, coincé au milieu du passage, je me demandai ce que dirait le vieux Jean-Christophe, si je faisais volte-face. Avec
155 sa baguette autoritaire de chef d'orchestre, il allait me montrer la direction à prendre ; j'imaginai qu'il n'aurait pas eu honte de reculer devant la mort. Je n'allais tout de même pas mourir avant d'avoir connu l'amour, le sexe, la lutte individuelle contre le monde entier, comme celle qu'il avait menée !
160 L'envie de vivre s'empara de moi. Je pivotai, toujours à genoux, et revins pas à pas vers le début du passage. Sans mes deux mains

qui s'agrippaient sur le sol, j'aurais perdu l'équilibre et serais allé m'écraser au fond du précipice. Soudain, je pensai à Luo. Il avait dû lui aussi connaître semblable défaillance, avant de parvenir à 165 atteindre l'autre côté.

Plus je m'approchai de lui, plus sa voix me fut nette. Je remarquai que son visage était terriblement pâle, comme s'il avait encore plus peur que moi. Il me cria de m'asseoir sur le sol, et d'avancer à califourchon. Je suivis son conseil et, en effet, cette nouvelle posi-170 tion, bien que plus humiliante, me permit de le rejoindre en toute sécurité. Arrivé au bout du passage, je me redressai et lui rendis sa hotte.

– Tu as fait ça tous les jours ? lui demandai-je.

– Non, seulement au début.

175 – Il est tout le temps là ?

– Qui ?

– Lui.

Du doigt, je lui montrai le corbeau à bec rouge, qui avait atterri au milieu du passage, où je m'étais arrêté tout à l'heure.

180 – Oui, il est là chaque matin. On dirait qu'il a rendez-vous avec moi, me dit Luo. Mais je ne le vois jamais le soir, quand je reviens.

Comme je refusais de me ridiculiser à nouveau dans ce numéro de voltige, il prit la hotte sur son dos, et se courba calmement, jusqu'à ce que ses deux mains touchassent le sol. Il avança les bras, alter-185 nativement et fermement, et ses jambes suivirent, avec harmonie. À chaque pas, ses pieds touchaient presque ses mains. Après quelques mètres, il s'arrêta et, comme pour m'adresser un salut coquin, il remua les fesses, dans un vrai geste de singe grimpant à quatre pattes sur une branche d'arbre. Le corbeau à bec rouge s'envola, et vrilla 190 dans l'air en battant lentement ses ailes immenses.

Admiratif, j'accompagnai Luo du regard jusqu'au bout du passage surnommé par moi «le purgatoire», puis il disparut derrière des rochers. Soudain, je me demandai, non sans appréhension, où allait le mener son histoire de Balzac avec la Petite Tailleuse, et 195 comment elle finirait. Le départ du grand oiseau noir rendait le silence de la montagne plus inquiétant encore.

La nuit suivante, je me réveillai en sursaut.

Il me fallut plusieurs minutes pour revenir à la réalité, familière et rassurante. J'entendis dans le noir la respiration rythmée de Luo, dans le lit en face. À tâtons, je trouvai une cigarette et l'allumai. Peu à peu, la présence de la truie qui cognait son groin contre l'enceinte de la porcherie, sous notre maison sur pilotis, me ramena au calme, et je revis, à la façon d'un film en accéléré, le rêve qui venait de m'épouvanter :

De loin, je voyais Luo marcher avec une fille sur le passage étroit, vertigineux, bordé de chaque côté par un précipice. Au début, la fille qui marchait en avant était celle du gardien de l'hôpital où travaillaient nos parents. Une fille de notre classe, modeste, ordinaire, dont j'avais oublié l'existence depuis des années. Mais alors que je cherchais la raison de son apparition inattendue à côté de Luo, dans cette montagne, elle se transforma en la Petite Tailleuse, vive, rigolote, moulée dans un T-shirt blanc et un pantalon noir. Elle ne marchait pas mais courait sur le passage, comme une fonceuse, tandis que son jeune amant, Luo, la suivait lentement, à quatre pattes. Ni l'un ni l'autre ne portaient de hotte sur le dos. La Petite Tailleuse n'avait pas sa grande et longue natte habituelle et, dans sa course, ses cheveux tombant librement sur ses épaules flottaient dans le vent, comme une aile. Du regard, je cherchai en vain le corbeau à bec rouge, et lorsque mes yeux se posèrent de nouveau sur mes amis, la Petite Tailleuse avait disparu. Ne restait plus que Luo, non pas à califourchon, mais à genoux au milieu du passage, les yeux rivés sur le gouffre de droite. Il sembla me crier quelque chose, tourné vers le fond du précipice, mais je n'entendis rien. Je me précipitai vers lui, sans savoir d'où me venait le courage de courir sur ce passage. En m'approchant de lui, je compris que la Petite Tailleuse était tombée dans la falaise. Malgré l'inaccessibilité presque absolue du terrain, nous descendîmes en glissant à la verticale le long de la paroi rocheuse… Nous retrouvâmes son corps au fond, blotti contre un rocher où sa tête, complètement rentrée dans son ventre, avait éclaté. L'arrière de son crâne présentait deux grandes fissures, dans lesquelles le sang coagulé avait déjà formé des croûtes. L'une d'elles s'étirait jusqu'à son front bien dessiné. Sa bouche béante était retroussée sur ses gencives roses et ses dents serrées, comme si elle avait voulu crier, mais elle était muette et exhalait seulement une odeur de sang. Quand Luo la prit dans ses bras, le sang jaillit conjointement de sa bouche, de sa narine gauche, et d'une de ses oreilles ; il coula sur les bras de Luo, et se répandit goutte à goutte sur le sol.

Quand je le lui racontai, ce cauchemar n'impressionna pas Luo.

– Oublie ça, me dit-il. Moi aussi, j'en ai fait pas mal de ce genre de rêves.

Tandis qu'il cherchait sa veste et sa hotte en bambou, je lui demandai :

– Tu ne vas pas déconseiller à ton amie de passer par ce chemin ?

– Tu es fou ! Elle aussi veut venir chez nous, de temps en temps.

– Juste pour un petit bout de temps, jusqu'à ce que ce foutu passage soit réparé.

– D'accord, je le lui dirai.

Il avait l'air pressé. J'étais presque jaloux de son rendez-vous avec l'affreux corbeau à bec rouge.

– Ne va pas lui raconter mon rêve.

– Ne t'inquiète pas.

Le retour du chef de notre village mit momentanément un terme au pèlerinage de la beauté que mon ami Luo avait quotidiennement fait avec zèle.

Le congrès du Parti et un mois de vie citadine semblaient ne pas avoir procuré de plaisir à notre chef. Il avait l'air en deuil, la joue enflée, le visage déformé par la colère contre un médecin révolutionnaire de l'hôpital du district : « Ce fils de pute, un connard de médecin aux "pieds nus", m'a arraché une bonne dent et a laissé la mauvaise, qui était à côté. » Il était d'autant plus furieux que l'hémorragie provoquée par l'extraction de sa dent saine l'empêchait de parler, de vociférer ce scandale, et le condamnait à le marmonner avec des mots à peine audibles. Il montrait à tous ceux qui s'intéressaient à son malheur le vestige de cette opération : un chicot noirci, long, pointu, avec une racine jaunâtre, qu'il gardait précieusement enveloppé dans un bout de satin rouge et soyeux qu'il avait acheté à la foire de Yong Jing.

Comme il s'irritait de la moindre désobéissance, Luo et moi fûmes obligés d'aller travailler tous les matins dans les champs de maïs ou les rizières. Nous cessâmes même de manipuler notre petit réveil magique.

Un soir, souffrant du mal de dents, le chef débarqua chez nous alors que nous préparions notre dîner dans la salle à manger. Il sortit un petit bout de métal, enveloppé dans le même carré de satin rouge que sa dent.

– C'est du véritable étain, qu'un marchand ambulant m'a vendu, nous dit-il. Si vous le mettez sur le feu, il fondra en un quart d'heure.

280 Ni Luo ni moi ne réagîmes. L'envie de rire nous prenait devant son visage enflé jusqu'aux oreilles, comme dans un mauvais film comique.

– Mon vieux Luo, dit le chef d'un ton plus sincère que jamais, tu as sûrement vu ton père faire ça des milliers de fois : quand l'étain
285 est fondu, il paraît qu'il suffit d'en mettre un petit bout dans la dent pourrie pour que ça tue les vers qui sont dedans, tu dois le savoir mieux que moi. Tu es le fils d'un dentiste connu, je compte sur toi pour réparer ma dent.

– Vous voulez que je mette de l'étain dans votre dent, sans blague ?
290 – Oui. Et si je n'ai plus mal, je te donnerai un mois de repos.

Luo, qui résistait à la tentation, le mit en garde :

– L'étain, ça ne marchera pas, dit-il. Et puis mon père avait des appareils modernes. Il perçait d'abord la dent avec une roulette électrique, avant de mettre quoi que ce soit dedans.
295 Perplexe, le chef se leva, et partit en marmonnant :

– C'est vrai, je l'ai vu faire à l'hôpital du district. Le con qui a arraché ma bonne dent avait une grosse aiguille qui tournait, avec un bruit de moteur.

Quelques jours plus tard, la souffrance du chef fut esquivée
300 par l'arrivée du tailleur, le père de notre amie, avec sa machine à coudre rayonnante, qui reflétait la lumière matinale du soleil sur le torse nu d'un porteur.

Nous ignorions s'il se donnait des airs d'homme très occupé, au planning débordant, ou était simplement incapable d'organiser
305 son temps avec rigueur, mais il avait déjà repoussé plusieurs fois son rituel rendez-vous annuel avec les paysans de notre village. Pour eux, c'était un véritable bonheur, quelques semaines avant le nouvel an, de voir apparaître cette petite silhouette maigrichonne et sa machine à coudre.
310 Comme d'habitude, il faisait la tournée des villages sans sa fille. Lorsque nous l'avions rencontré, quelques mois auparavant, sur

un sentier étroit et glissant, il était assis sur une chaise à porteurs à cause de la pluie et de la boue. Mais ce jour-là, sous le soleil, il arriva à pied, avec une énergie juvénile non encore entamée par
315 son grand âge. Il portait une casquette vert délavé, sans doute celle que j'avais empruntée lors de notre visite au vieux meunier de la falaise des Mille Mètres, une ample veste bleue, largement ouverte sur une chemise de lin beige pourvue des traditionnels boutons en coton, et une ceinture noire en cuir véritable, qui brillait.
320 Le village entier vint l'accueillir. Les cris des enfants qui couraient derrière lui, les rires des femmes qui sortaient leurs tissus, prêts depuis des mois, l'explosion de quelques pétards, les grognements des cochons, tout cela créait une ambiance de fête. Chaque famille l'invita à s'installer chez elle, dans l'espoir d'être élue son
325 premier client. Mais à la grande surprise de tout le monde, le vieux déclara :

– Je vais m'installer chez les jeunes amis de ma fille.

Nous nous demandâmes quels étaient les motifs cachés de ce choix. Selon notre analyse, le vieux tailleur pouvait bien chercher à
330 établir un contact direct avec son gendre potentiel mais, quoi qu'il en soit, il nous fournit l'occasion de nous initier à l'intimité féminine, à cette facette de la nature des femmes jusqu'alors inconnue de nous, dans notre maison sur pilotis transformée en atelier de couture. Ce fut un festival, presque anarchique, où les femmes de
335 tout âge, belles ou laides, riches ou pauvres, rivalisèrent à coups de tissus, de dentelles, de rubans, de boutons, de fil à coudre, et d'idées de vêtements dont elles avaient rêvé. Lors des séances d'essayage, Luo et moi étions suffoqués par leur agitation, leur impatience, par le désir quasi physique qui explosait en elles. Aucun régime
340 politique, aucune contrainte économique ne pouvait les priver de l'envie d'être bien habillées, une envie aussi vieille que le monde, aussi vieille que l'envie de maternité.

Vers le soir, les œufs, la viande, les légumes, les fruits que les villageois avaient portés au vieux tailleur s'amoncelaient comme
345 des offrandes pour un rituel, dans un coin de la salle à manger. Des hommes, seuls ou en petits groupes, venaient se mêler à la foule des

femmes. Certains, plus timides, assis par terre autour du feu, pieds nus, tête baissée, n'osaient lever que discrètement leur regard vers les filles. Ils coupaient les ongles de leurs orteils, durs comme de
350 la pierre, avec la lame tranchante de leur fauchette. D'autres, plus expérimentés, plus agressifs, plaisantaient sans pudeur, et lançaient aux femmes des suggestions plus ou moins obscènes. Il fallait toute l'autorité du vieux tailleur, épuisé, irritable, pour parvenir à les mettre dehors.

355 Après un dîner à trois, plutôt rapide, calme et courtois, au cours duquel nous rîmes de notre première rencontre sur le sentier, je proposai à notre invité de jouer un morceau au violon, avant de nous mettre au lit. Mais, les paupières mi-closes, il refusa.

– Racontez-moi plutôt une histoire, nous demanda-t-il dans un
360 bâillement long et traînant. Ma fille m'a dit que vous étiez deux formidables conteurs. C'est pour cela que je suis venu loger chez vous.

Sans doute alerté par la fatigue affichée par le couturier de la montagne, ou bien par modestie devant son futur beau-père, Luo me proposa de relever le défi.

365 – Vas-y, m'encouragea-t-il. Raconte-nous quelque chose que je ne connais pas encore.

J'acceptai, un peu hésitant, de jouer le rôle du conteur de minuit. Avant de commencer, je pris tout de même la précaution d'inviter mes auditeurs à se laver les pieds à l'eau chaude, et à s'allonger
370 sur un lit, pour éviter qu'ils ne s'endormissent assis au cours de mon récit. Nous sortîmes deux couvertures propres et épaisses, installâmes confortablement notre invité dans le lit de Luo, et nous serrâmes tous les deux dans le mien. Quand tout fut prêt, que les bâillements du tailleur se firent plus las et plus bruyants, j'éteignis
375 la lampe à pétrole pour des raisons économiques, et attendis, la tête sur l'oreiller, les yeux fermés, que la première phrase d'une histoire sortît de ma bouche.

J'aurais certainement choisi de raconter un film chinois, nord-coréen, ou même albanais, si je n'avais pas encore goûté au fruit
380 interdit, la valise secrète du Binoclard. Mais, à présent, ces films au réalisme prolétarien agressif, qui avaient jadis fait mon éducation

culturelle, me paraissaient si éloignés des désirs humains, de la vraie souffrance, et surtout de la vie, que je ne voyais pas l'intérêt de me donner la peine de les raconter à une heure aussi tardive.

385 Soudain, un roman que je venais de finir me vint à l'esprit. J'étais sûr que Luo ne le connaissait pas encore, puisqu'il se passionnait exclusivement pour Balzac.

Je me redressai, m'assis au bout du lit, et me préparai à prononcer la première phrase, la plus difficile, la plus délicate ; je voulais

390 quelque chose de sobre.

– Nous sommes à Marseille, en 1815.

Ma voix résonna dans l'obscurité d'encre de la pièce.

– Où est Marseille ? interrompit le tailleur d'une voix somnolente.

395 – À l'autre bout du monde. C'est un grand port de France.

– Pourquoi tu veux qu'on aille si loin ?

– Je voulais vous raconter l'histoire d'un marin français. Mais si ça ne vous intéresse pas, autant dormir tout de suite. À demain !

Dans le noir, Luo s'approcha de moi et me chuchota douce-

400 ment :

– Bravo, mon vieux !

Une ou deux minutes plus tard, j'entendis de nouveau la voix du tailleur :

– Comment il s'appelle, ton marin ?

405 – Au début, Edmond Dantès, puis il devient le comte de Monte-Cristo.

– Cristo ?

– C'est un autre nom de Jésus, qui veut dire le messie, ou le sauveur.

410 Voilà comment je commençai le récit de Dumas[1]. Heureusement, de temps à autre, Luo m'interrompait pour faire à voix basse des commentaires simples et intelligents ; il se montrait de plus en plus

---

1. Le narrateur se lance bien sûr dans le récit du *Comte de Monte-Cristo*, le célèbre roman d'Alexandre Dumas (écrit avec la collaboration d'Auguste Maquet), achevé en 1844.

attiré par l'histoire, ce qui me permit de me reconcentrer et de me
débarrasser du trouble provoqué en moi par le tailleur. Celui-ci,
415 sans doute assommé par tous ces noms français, ces lieux lointains,
et sa dure journée de travail, ne dit plus un mot après le début de
l'histoire. Il semblait plongé dans un sommeil de plomb.

Peu à peu, l'efficacité de maître Dumas l'emporta, et j'oubliai
complètement notre invité ; je racontais, racontais, racontais encore…
420 Mes phrases étaient plus précises, plus concrètes, plus denses. Je parvins, au prix de certains efforts, à garder le ton sobre de la première
phrase. Ce n'était pas facile. Je fus même agréablement surpris, en
racontant l'histoire, de voir apparaître dans toute son évidence le
mécanisme du récit, la mise en place du thème de la vengeance, les
425 ficelles préparées par le romancier, qui s'amuserait à les tirer plus
tard d'une main ferme, habile, souvent audacieuse ; c'était comme
regarder un grand arbre déraciné, étalant sur le sol la noblesse de
son tronc, l'ampleur de son ramage, la nudité de ses épaisses racines.

Je ne savais combien de temps s'était écoulé. Une heure ? Deux
430 heures ? Plus encore ? Mais lorsque notre héros, le marin français,
se fit emprisonner dans un cachot où il devait croupir vingt ans, la
fatigue, sans être excessive, m'imposa tout de même d'arrêter le récit.

– À présent, me chuchota Luo, tu fais mieux que moi. Tu aurais
dû être écrivain.

435 Grisé par ce compliment d'un conteur surdoué, je me laissai
rapidement gagner par un demi-sommeil. Soudain j'entendis la
voix du vieux tailleur marmonner dans le noir.

– Pourquoi tu t'arrêtes ?

– Ça alors ! m'écriai-je. Vous ne dormez pas encore ?

440 – Pas du tout. Je t'ai écouté. Ton histoire me plaît.

– J'ai sommeil maintenant.

– Essaie de continuer encore un peu, s'il te plaît, insista le vieux
tailleur.

– Seulement un petit bout, lui dis-je. Vous vous rappelez où je
445 me suis arrêté ?

– Au moment où il entre dans le cachot d'un château, en plein
milieu de la mer…

Étonné par la précision de mon auditeur, pourtant âgé, je pour-
suivis l'histoire de notre marin français… Toutes les demi-heures,
je m'arrêtais, souvent à un moment crucial, non plus par fatigue,
mais par innocente coquetterie de conteur. Je me faisais supplier,
et m'y remettais de nouveau. Quand l'abbé, enfermé dans le cachot
de misère d'Edmond, lui révéla le secret de l'immense trésor caché
sur l'île de Monte-Cristo et l'aida à s'évader, la lumière de l'aube
pénétra notre chambre par les crevasses des murs, accompagnée
du gazouillis matinal des alouettes, des tourterelles et des pinsons.

Cette nuit blanche nous épuisa tous. Le couturier fut obligé
d'offrir une petite somme d'argent au village, pour que le chef
nous permette de rester à la maison.

– Repose-toi bien, me dit le vieux en clignant des yeux. Et prépare
mon rendez-vous de cette nuit avec le marin français.

Ce fut certainement l'histoire la plus longue que je racontai
dans ma vie : elle dura neuf nuits entières. Je ne compris jamais
d'où venait la résistance physique du vieux tailleur, qui travaillait
le lendemain, durant toute la journée. Inévitablement, quelques
fantaisies, discrètes et spontanées, dues à l'influence du romancier
français, commencèrent à apparaître dans les nouveaux vêtements
des villageois, surtout des éléments marins. Dumas lui-même eût
été le premier surpris, s'il avait vu nos montagnardes moulées dans
des sortes de vareuses à épaules tombantes et à grand col, carré en
arrière et pointu en avant, qui claquait dans le vent. Elles sentaient
presque l'odeur de la Méditerranée. Les pantalons bleus de matelots,
mentionnés par Dumas et réalisés par son disciple le vieux tailleur,
avaient conquis les cœurs des jeunes filles, avec leurs pattes larges
et flottantes, d'où semblait émaner le parfum de la côte d'Azur. Il
nous fit dessiner une ancre à cinq becs, qui devint le motif le plus
recherché de la mode féminine de ces années-là, dans la montagne
du Phénix du Ciel. Certaines femmes réussirent même à le broder
fidèlement sur de minuscules boutons, avec du fil d'or. Par contre,
nous gardâmes jalousement quelques secrets, décrits avec minutie
par Dumas, comme le lys brodé sur les bannières, le corset, et la
robe de Mercédès, en exclusivité pour la fille du tailleur.

À la fin de la troisième nuit, un incident faillit tout compromettre. C'était vers cinq heures du matin. Nous étions au cœur de l'intrigue,
485 à la meilleure partie du roman, selon mon avis : de retour à Paris, le comte de Monte-Cristo réussissait, grâce à de savants calculs, à approcher ses trois anciens ennemis, dont il voulait tirer vengeance. Un à un, il plaçait ses pions selon une imparable stratégie, une diabolique machination. Bientôt, le procureur serait acculé à la
490 ruine, le piège préparé de longue haleine allait enfin se refermer sur lui. Soudain, la porte de notre chambre s'ouvrit dans un terrible grincement, et l'ombre noire d'un homme apparut sur le seuil, à l'instant où notre comte tombait presque amoureux de la fille du procureur. L'homme de l'ombre, avec sa torche électrique allumée,
495 chassa le comte français et nous ramena à la réalité.

C'était le chef de notre village. Il portait une casquette. Son visage enflé jusqu'aux oreilles était atrocement accentué, déformé par les ombres noires que dessinait sur lui la lumière de sa torche électrique. Nous étions tellement plongés dans le récit de Dumas
500 que nous n'avions pas entendu le bruit de ses pas.

– Ah ! Quel bon vent vous amène ? cria le tailleur. Je me demandais si j'aurais la chance de vous voir cette année. On m'a dit que vous avez eu bien du malheur à cause d'un mauvais médecin.

Le chef ne le regarda pas ; c'était comme s'il n'avait pas été là.
505 Il braqua sur moi la lumière de sa torche électrique.

– Qu'est-ce qu'il y a ? lui demandai-je.

– Suis-moi. On va parler dans le bureau de la Sécurité publique de la commune.

À cause de ses douleurs dentaires, il ne pouvait tonner, mais son
510 marmonnement presque inaudible me fit vibrer profondément, le nom de ce bureau signifiant la plupart du temps torture physique et enfer pour les ennemis du peuple.

– Pourquoi ? lui demandai-je en allumant la lampe à pétrole d'une main tremblante.

515 – Tu racontes des saloperies réactionnaires. Heureusement pour notre village que je ne dors jamais, que je veille toujours. Je ne vous cacherai pas la vérité : je suis là depuis minuit, et je

l'ai toute entendue, ton histoire réactionnaire du comte Machin.

– Calmez-vous, chef, intervint Luo. Ce comte n'est même pas un Chinois.

– Je m'en fous. Un jour, notre révolution triomphera dans le monde entier ! Et un comte, quelle que soit sa nationalité, ne peut pas être autre chose qu'un réactionnaire.

– Attendez, chef, coupa Luo. Vous ne connaissez pas le début de l'histoire. Ce mec-là, avant de se déguiser en noble, c'était un pauvre matelot, une catégorie classée parmi les plus révolutionnaires, selon le Petit Livre Rouge.

– Ne me fais pas perdre mon temps avec ton baratin à la con ! dit le chef. Tu as déjà vu un bon qui voudrait piéger un procureur ?

Ce disant, il cracha par terre, signe qu'il allait en venir aux mains si je ne bougeais pas.

Je me levai. Pris au piège et résigné, j'enfilai une veste d'étoffe grossière et un pantalon résistant, comme un homme se préparant à un long séjour pénitentiaire. En vidant la poche de ma chemise, j'y trouvai un peu de monnaie, que je tendis à Luo pour qu'elle ne tombât pas dans les mains des bourreaux de la Sécurité publique. Luo jeta les pièces sur le lit.

– Je viens avec toi, me dit-il.

– Non, reste là, et occupe-toi de tout, pour le meilleur et pour le pire.

En prononçant ces mots, je dus faire un effort pour refouler mes larmes. Je vis, dans les yeux de Luo, qu'il comprenait ce que je voulais dire : bien cacher les livres, au cas où je le trahirais sous la torture ; j'ignorais si je supporterais d'être giflé, battu, fouetté, comme c'était le cas, prétendait-on, au cours des interrogatoires dans ce bureau. Tel un captif abattu, je me dirigeai vers le chef, les jambes tremblantes, exactement comme, lors de mon premier combat d'enfant, je m'étais jeté sur mon adversaire pour montrer que j'étais courageux, mais que le tremblement honteux de mes jambes m'avait trahi.

Son haleine sentait la carie. Ses petits yeux et leurs trois gouttes de sang m'accueillirent avec un regard dur. Un instant, je crus qu'il

allait me saisir par le col et me jeter en bas de l'échelle. Mais il resta immobile. Son regard m'abandonna, se cramponna aux barreaux
555 du lit, puis se fixa sur Luo, auquel il demanda :

     – Tu te souviens du morceau d'étain que je t'ai montré ?

     – Pas vraiment, répondit Luo, perplexe.

     – Le petit machin que je t'ai demandé de mettre dans ma dent malade.

560   – Oui, maintenant je me rappelle.

     – Je l'ai toujours, dit le chef, en sortant de la poche de sa veste le petit paquet en satin rouge.

     – Où vous voulez en venir ? lui demanda Luo, encore plus perplexe.

565   – Si toi, le fils d'un grand dentiste, tu pouvais guérir ma dent, je ficherais la paix à ton copain. Sinon, je l'emmène au bureau de la Sécurité, ce sale conteur d'histoires réactionnaires.

*

La denture du chef se présentait comme une sierra déchiquetée. Sur une gencive noircie et enflée, se dressaient trois incisives sem-
570 blables à des roches préhistoriques de basalte, de couleur sombre, tandis que ses canines évoquaient les pierres de l'époque diluvienne, en travertin mat, couleur tabac. Quant aux molaires, certaines présentaient des rainures sur la couronne, ce qui, le fils du dentiste l'affirma sur un ton nosographique[1], était la marque d'un antécé-
575 dent de syphilis. Le chef détourna la tête, sans nier ce diagnostic.

La dent à la source de ses malheurs se trouvait au fond du palais, dressée près d'un trou noir comme un écueil calcaire, coquillier, poreux, solitaire, et menaçant. C'était une dent de sagesse, dont l'émail et l'ivoire étaient très abîmés, et où une carie s'était formée.
580 La langue du chef, visqueuse, d'un rose pâle tirant sur le jaune, ne cessait de sonder la profondeur de la cavité voisine, due à la bévue du précédent dentiste, puis remontait caresser amoureuse-

---

1. La nosographie est la description et classification des troubles et maladies.

ment l'écueil isolé, pour finir par faire entendre un claquement de consolation.

585 Une aiguille de machine à coudre en acier chromé, légèrement plus grosse que la normale, glissa dans la bouche grande ouverte du chef et s'immobilisa au-dessus de la dent de sagesse mais, sitôt qu'elle l'effleura avec délicatesse, la langue du chef se rua par réflexe vers l'intrus, à une vitesse fulgurante, et tâta ce corps froid, métal-
590 lique, étranger, jusqu'à son extrémité pointue : un tressaillement la parcourut. Elle recula, comme chatouillée, puis revint à la charge et, excitée par la sensation inconnue, lécha presque voluptueuse-ment l'aiguille.

Le pédalier de la machine s'ébranla sous les pieds du vieux
595 tailleur. L'aiguille, liée par un cordon à la poulie de la machine, commença à pivoter ; effrayée, la langue du chef se crispa. Luo, qui tenait l'aiguille du bout des doigts, ajusta la position de sa main. Il attendit quelques secondes, puis la vitesse du pédalier accéléra, et l'aiguille attaqua la carie, arrachant un hurlement déchirant au
600 patient. À peine Luo eut-il écarté l'aiguille que le chef roula comme un vieux roc du lit qu'on avait installé à côté de la machine à coudre, et se retrouva presque par terre.

– Tu as failli me tuer ! dit-il au tailleur en se redressant. Tu te fous de ma gueule ?

605 – Je t'avais prévenu, répondit le tailleur, que j'avais vu ça dans les foires. C'est toi qui as insisté pour qu'on joue les charlatans.

– Ça fait sacrément mal, dit le chef.

– La douleur est inévitable, affirma Luo. Vous connaissez la vitesse d'une roulette électrique, dans un vrai hôpital ? C'est plusieurs
610 centaines de tours à la seconde. Et plus l'aiguille tourne lentement, plus ça fait mal.

– Essaie encore une fois, dit le chef avec détermination, en rajus-tant sa casquette. Ça fait une semaine que je ne peux ni manger ni dormir, mieux vaut en finir une bonne fois pour toutes.

615 Il ferma les yeux pour ne pas voir l'aiguille entrer dans sa bouche, mais le résultat fut identique. La douleur atroce le propulsa hors du lit, l'aiguille plantée dans la bouche.

Son mouvement violent fit vaciller la lampe à pétrole, à la flamme de laquelle je fondais l'étain, dans une cuillère.

620 Malgré l'amusante situation, personne n'osait rire, de crainte qu'il ne relançât le sujet de mon inculpation.

Luo récupéra l'aiguille, l'essuya, la vérifia, puis tendit un verre d'eau au chef pour rincer sa bouche ; celui-ci cracha du sang par terre, juste à côté de sa casquette.

625 Le vieux tailleur prit un air étonné.

– Vous saignez, dit-il.

– Si vous voulez que je perce votre carie, dit Luo en ramassant la casquette et en la remettant sur la tête broussailleuse du chef, je ne vois pas d'autre solution que de vous attacher sur le lit.

630 – Me ligoter ? cria le chef, vexé. Tu oublies que je suis mandaté par la direction de la commune !

– Puisque votre corps refuse de collaborer, il faut jouer le tout pour le tout.

Sa décision me surprit réellement ; je me posai souvent, me 635 répétai maintes fois, et me répète encore aujourd'hui la même question : comment ce tyran politique, économique, ce policier du village, put-il accepter une proposition qui le mettait dans une position aussi ridicule qu'humiliante ? Quel diable était-il dans sa tête ? Sur le coup, je n'eus guère le loisir de réfléchir à la question. 640 Luo le ligota rapidement et le tailleur, se voyant attribuer la tâche difficile de maintenir sa tête entre ses mains, me demanda de le relayer au pédalier.

Je pris ma nouvelle responsabilité très au sérieux. Je me déchaussai, et lorsque la plante de mon pied toucha le pédalier, je sentis 645 tout le poids de ma mission peser sur mes muscles.

Dès que Luo me fit signe, mes pieds pressèrent le pédalier pour mettre la machine en marche, et ils furent rapidement emportés par le mouvement rythmique du mécanisme. J'accélérai tel un cycliste fonçant sur la grand-route ; l'aiguille tressaillit, trembla, entra de 650 nouveau en contact avec l'écueil sournois et menaçant. Ce contact produisit d'abord un grésillement dans la bouche du chef, qui se débattait comme un fou dans une camisole. Il était non seulement attaché sur le lit par une grosse corde, mais aussi serré entre les mains de fer du vieux tailleur qui le tenait par le cou, le tenaillait, le coinçait dans une position digne d'une scène de capture cinématographique. De l'écume s'échappait aux commissures de ses lèvres, il était pâle, respirait avec peine et gémissait.

Soudain, comme une éruption volcanique, je sentis à mon insu surgir du plus profond de moi une pulsion sadique : je ralentis immédiatement le mouvement du pédalier, en mémoire de toutes les souffrances de la rééducation.

Luo me jeta un regard complice.

Je ralentis encore, pour me venger cette fois de ses menaces d'inculpation. L'aiguille tourna tellement lentement qu'on aurait dit une perceuse épuisée, sur le point de tomber en panne. À quelle vitesse tournait-elle ? Un tour par seconde ? Deux tours ? Qui sait ? De toute façon, l'aiguille en acier chromé avait percé la carie. Elle vrillait, et s'arrêtait en plein mouvement, quand mes pieds marquaient une pause angoissante, à la manière cette fois d'un cycliste cessant de pédaler dans une descente dangereuse. Je prenais un air calme, innocent. Mes yeux ne se réduisaient pas à deux fentes chargées de haine. Je faisais semblant de vérifier la poulie ou la courroie. Puis l'aiguille se remettait à tourner, à vriller lentement, comme si le cycliste grimpait péniblement une côte abrupte. L'aiguille s'était transformée en ciseau, en burin haineux qui creusait un trou dans la sombre roche préhistorique, en faisait jaillir de ridicules nuages de poudre de marbre, grasse, jaune et caséeuse. Je n'avais jamais vu aussi sadique que moi. Je vous l'assure. Un sadique débridé.

Oui, c'est moi qui les ai vus, seuls tous les deux, nus comme des
680 vers. J'étais allé couper du bois dans la vallée de derrière, comme
d'habitude, une fois par semaine ; je passe toujours par la petite
baie du torrent. Où c'était exactement ? À un ou deux kilomètres
de mon moulin, environ. Le torrent tombait d'une vingtaine de
mètres, et cascadait sur les grosses pierres. Au pied de la chute, il y
685 a une petite baie, on pourrait presque dire une mare, mais l'eau y
est profonde, verte, sombre, encaissée entre les rochers. C'est trop
loin du sentier, les gens y mettent rarement les pieds.

Je ne les ai pas vus tout de suite, mais des oiseaux endormis sur
les avancées rocheuses semblèrent effrayés par quelque chose ; ils
690 se sont envolés et sont passés au-dessus de ma tête, en poussant de
grands cris.

Oui, c'étaient des corbeaux à bec rouge, comment vous le savez ?
Ils étaient une dizaine. L'un d'eux, je ne sais pas s'il était mal réveillé
ou plus agressif que les autres, piqua vers moi en planant, effleurant
695 mon visage au passage, du bout de ses ailes. Je me rappelle encore,
en vous parlant, son odeur sauvage et répugnante.

Ces oiseaux m'ont détourné de mon chemin habituel. Je suis
allé jeter un coup d'œil à la petite baie du torrent, et c'est là que
je les ai vus, la tête hors de l'eau. Ils avaient dû faire un plongeon
700 étonnant, un saut spectaculaire, pour que les corbeaux à bec rouge
se soient enfuis.

Votre interprète ? Non, je ne l'ai pas reconnu tout de suite. J'ai
suivi des yeux les deux corps dans l'eau, entremêlés, serrés en une

boule qui n'arrêtait pas de tourner et se retourner. Ça m'a tellement
705 brouillé l'esprit que j'ai mis un long moment à comprendre que le
plongeon n'était pas leur plus grand exploit. Non! Ils étaient en
train de s'accoupler dans l'eau.

Qu'est-ce que vous dites? Coït? C'est un mot trop savant pour moi.
Nous les montagnards, on dit accouplement. Je ne voulais pas faire le
710 voyeur. Mon vieux visage a rougi. C'était la première fois de ma vie que
je voyais ça, faire l'amour dans l'eau. Je n'ai pas pu partir. Vous savez
qu'à mon âge, on n'arrive plus à se protéger. Leurs corps ont tournoyé
dans la partie la plus profonde, se sont dirigés vers le bord de la baie,
et ont roulé sur le lit de pierres où l'eau transparente du torrent,
715 brûlée par le soleil, exagéra, déforma leurs mouvements obscènes.

Je me sentais honteux, c'est vrai, non parce que je ne voulais
pas renoncer à ce divertissement de mes yeux, mais parce que j'ai
réalisé que j'étais vieux, que mon corps était mou, mis à part tous
mes vieux os. Je savais que je ne connaîtrais plus jamais la joie de
720 l'eau qu'ils avaient éprouvée.

Après l'accouplement, la fille a ramassé dans l'eau un pagne en
feuilles d'arbre. Elle l'a noué sur ses hanches. Elle n'avait pas l'air
aussi fatigué que son copain, au contraire, elle débordait d'énergie,
grimpait le long de la paroi rocheuse. De temps en temps, je la per-
25 dais de vue. Elle disparaissait derrière un rocher couvert de mousse
verte, puis elle émergeait sur un autre, comme si elle était sortie
d'une fente de la pierre. Elle a rajusté son pagne, pour qu'il protège
bien son sexe. Elle voulait monter sur une grosse pierre, située à
une dizaine de mètres au-dessus de la petite baie du torrent.

30 Bien sûr, elle ne pouvait pas me voir. J'étais très discret, caché
derrière un buisson avec tout un tas de feuilles. C'était une fille
que je ne connaissais pas, elle n'est jamais venue à mon moulin.
Quand elle fut debout sur la pierre avancée, j'étais assez près d'elle
pour admirer son corps nu, trempé. Elle jouait avec son pagne,
35 le roulait sur son ventre nu, sous ses jeunes seins, dont les bouts
saillants étaient un peu rouges.

Les corbeaux à bec rouge sont revenus. Ils se sont perchés sur
la pierre haute mais étroite, autour d'elle.

Tout à coup, en se frayant un passage entre eux, elle a reculé de
740 deux ou trois pas et, dans un élan terrible, elle s'est élancée dans
l'air, avec les bras grands ouverts comme des ailes d'hirondelle
planant dans le ciel.

Les corbeaux aussi s'élancèrent à ce moment-là. Mais, avant de
s'envoler au loin, ils piquèrent aux côtés de la fille, qui était elle-
745 même devenue une hirondelle prenant son envol. Ses ailes étaient
déployées, horizontales, immobiles ; elle a voleté jusqu'à ce qu'elle
atterrisse sur l'eau, que ses bras s'écartent, pénètrent dans l'eau et
disparaissent.

J'ai cherché son copain du regard. Il était assis sur la berge de la
750 petite baie, nu, les yeux fermés, le dos contre un rocher. La partie
secrète de son corps était ramollie, épuisée, endormie.

Sur le moment, j'ai eu l'impression d'avoir déjà vu ce garçon
quelque part, mais je ne me rappelais plus où. Je suis parti, et c'est
dans le bois, alors que je commençais à abattre un arbre, que je me
755 suis souvenu que c'était le jeune interprète qui vous avait accompagné chez moi, il y a quelques mois.

Il a eu de la chance, votre faux interprète, de tomber sur moi.
Rien ne me choque, et je n'ai jamais dénoncé personne. Sinon, il
risquait d'avoir des ennuis avec le bureau de la Sécurité publique,
760 ça je vous le garantis.

LE DIT DE LUO

De quoi je me souviens ? Si elle nage bien ? Oui, merveilleusement bien, maintenant elle nage comme un dauphin. Avant ? Non, elle nageait comme les paysans, uniquement avec les bras, pas les jambes. Avant que je l'initie à la brasse, elle ne savait pas écarter les bras, elle nageait comme les chiens. Mais elle a un corps de vraie nageuse. Je lui ai juste appris deux ou trois choses. Maintenant elle sait nager, même la brasse papillon ; ses reins ondulent, son torse émerge de l'eau dans une courbe aérodynamique et perfectionnée, ses bras s'ouvrent et ses jambes fouettent l'eau telle la queue d'un dauphin.

Ce qu'elle a découvert toute seule, ce sont les sauts périlleux. Moi, j'ai horreur de la hauteur, alors je n'ai jamais osé en faire. Dans notre paradis aquatique, une sorte de baie complètement isolée, à l'eau très profonde, chaque fois qu'elle grimpe en haut d'un pic vertigineux pour sauter, je reste en bas et je la regarde en contre-plongée presque verticale, mais ma tête tourne, et mes yeux confondent le pic avec les grands ginkgos qui se découpent derrière, en ombre chinoise. Elle devient toute petite, comme un fruit accroché au sommet d'un arbre. Elle me crie des choses, mais c'est un fruit qui bruisse. Un bruit lointain, à peine perceptible, à cause de l'eau cascadant sur les pierres. Soudain, le fruit tombe en flottant dans l'air, il vole à travers le vent, dans ma direction. À la fin, il devient une flèche purpurine, fuselée, qui pique la tête dans l'eau, sans grand bruit, ni éclaboussure.

Avant d'être enfermé, mon père disait souvent qu'on ne pouvait pas apprendre à danser à quelqu'un. Il avait raison ; c'est la même

chose pour faire des plongeons ou écrire des poèmes, on doit les découvrir tout seul. Il y a des gens que vous pouvez entraîner toute la vie, ils ressembleront toujours à un roc quand ils se jettent dans l'air, ils ne pourront jamais faire une chute comme un fruit qui
790 s'envole.

J'avais un porte-clés, que ma mère m'avait offert pour un anniversaire, un anneau en plaqué or, avec des feuilles de jade, minces, minuscules, zébrées de raies vertes. Je le portais toujours sur moi, c'était mon talisman contre les malheurs. J'y avais accroché un
795 nombre fou de clés, alors que je ne possède rien. Il y avait les clés de la porte de notre maison de Chengdu, celle de mon tiroir personnel, au-dessous de celui de ma mère, celle de la cuisine, plus un canif, un coupe-ongles… Récemment, j'y avais ajouté le passe-partout que j'avais fabriqué pour voler les livres du Binoclard. Je l'avais gardé
800 précieusement, en souvenir d'un heureux cambriolage.

Un après-midi de septembre, je suis allé dans notre petite baie du bonheur, avec elle. Comme d'habitude, il n'y avait personne. L'eau était un peu froide. Je lui ai lu une dizaine de pages des *Illusions perdues*. Ce livre de Balzac m'avait moins impressionné que *Le Père*
805 *Goriot* mais, quand elle a rattrapé une tortue entre les pierres du lit où roulait le torrent, j'ai tout de même gravé avec mon canif la tête des deux personnages ambitieux, aux longs nez, sur la carapace de la bête, avant de la relâcher dans la nature.

La tortue a rapidement disparu. Soudain, je me suis demandé :
810 « Qui me relâchera un jour de cette montagne ? »

Sur le coup, cette question, sûrement idiote, m'a fait beaucoup de peine. J'avais un cafard impossible. En pliant mon canif, en regardant les clés accrochées sur l'anneau, les clés de chez moi, à Chengdu, qui ne me serviraient plus jamais, je faillis me mettre à
815 chialer. J'étais jaloux de la tortue qui venait de disparaître dans la nature. Dans un élan de désespoir, je jetai mon porte-clés très loin dans l'eau profonde.

Alors, elle s'est lancée dans un mouvement de brasse papillon, pour aller repêcher mon porte-clés. Mais elle disparut si longtemps
820 sous l'eau que je me mis à m'inquiéter. La surface était d'une

étrange immobilité, d'une teinte sombre, presque sinistre, sans aucune bulle d'air. J'ai crié : « Où tu es, bon Dieu ? » J'ai crié son nom et son surnom « la Petite Tailleuse », puis j'ai plongé au fond de l'eau transparente et profonde de la baie du torrent. Soudain, je l'ai vue ; elle était là, devant moi, qui remontait en s'ébrouant à la manière d'un dauphin. Je fus surpris de la voir exécuter cette jolie secousse du corps, avec ses longs cheveux qui flottaient dans l'eau. C'était vraiment beau.

Quand je l'ai rejointe à la surface, j'ai vu mon porte-clés entre ses lèvres, couvert de gouttes d'eau, comme des perles brillantes.

Elle était certainement la seule personne au monde à croire encore que je réussirais un jour à me sortir de la rééducation, et que mes clés pourraient m'être utiles.

Depuis cet après-midi-là, chaque fois que nous venions dans la petite baie, le jeu du porte-clés était notre distraction habituelle. J'adorais cela, non pas pour interroger mon avenir, mais uniquement pour admirer son corps nu, envoûtant, qui s'ébrouait sensuellement dans l'eau, avec son pagne de feuillages grelottants, presque transparent.

Mais aujourd'hui, nous avons perdu le porte-clés dans l'eau. J'aurais dû insister pour qu'elle ne se lançât pas dans un deuxième repêchage dangereux. Heureusement, on ne l'a pas payé trop cher. De toute façon, je ne veux plus qu'on remette les pieds là-bas.

Ce soir, en rentrant au village, un télégramme m'attendait, qui m'annonçait l'hospitalisation d'urgence de ma mère et réclamait mon retour immédiat.

Peut-être grâce à mes soins dentaires réussis, le chef m'a autorisé à passer un mois au chevet de ma mère. Je pars demain matin. L'ironie du sort veut que je rentre chez mes parents sans clé.

850   Les romans que Luo me lisait me donnaient toujours envie de plonger dans l'eau fraîche du torrent. Pourquoi ? Pour me défouler un bon coup ! Comme parfois on ne peut s'empêcher de dire ce qu'on a sur le cœur !

    Au fond de l'eau, il y avait un halo immense, bleuâtre, diffus,
855 sans clarté ; il était difficile d'y distinguer les choses. Un voile venait toujours obscurcir tes yeux. Heureusement, le porte-clés de Luo tombait chaque fois à peu près dans le même coin, au milieu de la petite baie, un coin de quelques mètres carrés. Les pierres, tu les voyais à peine quand tu les touchais ; certaines, petites comme un
860 œuf de couleur claire, polies, rondes, étaient là depuis des années, peut-être des siècles, tu te rends compte ? D'autres, plus grandes, ressemblaient à des têtes d'hommes, parfois elles avaient la courbure d'une corne de buffle, sans blague. De temps en temps, même si c'était rare, tu rencontrais des pierres particulièrement anguleuses,
865 pointues et coupantes, prêtes à te rentrer dedans, à te faire saigner, à t'arracher un morceau de chair, ou bien des coquillages. Dieu sait d'où ils venaient. Ils s'étaient transformés en pierres, couverts d'une mousse tendre, bien encastrés dans le sol rocheux, mais tu sentais que c'étaient des coquillages.

870   Qu'est-ce que tu dis ? Pourquoi j'aimais repêcher son porte-clés ? Ah ! Je sais. Tu me trouves sûrement aussi idiote qu'un chien qui court pour chercher l'os qu'on a lancé. Je ne suis pas une de ces jeunes filles françaises de Balzac. Je suis une fille de la montagne. J'adore faire plaisir à Luo, point final.

Tu veux que je te raconte ce qui s'est passé la dernière fois ? Ça fait déjà une semaine, au moins. C'était juste avant que Luo reçoive le télégramme de sa famille. Nous sommes arrivés vers midi. Nous avons nagé, mais pas beaucoup, juste ce qu'il faut pour s'amuser dans l'eau. Puis on a mangé des pains de maïs, des œufs et quelques fruits que j'avais emportés, pendant que Luo me racontait un petit bout de l'histoire du marin français qui est devenu comte. C'est la fameuse histoire que mon père a écoutée, maintenant il est un admirateur inconditionnel de ce vengeur. Luo m'en a seulement raconté une petite scène, tu sais, celle dans laquelle le comte retrouve la femme avec qui il était fiancé dans sa jeunesse, celle à cause de qui il a passé vingt ans en taule. Elle fait semblant de ne pas le reconnaître. Elle joue si bien qu'on croirait qu'elle ne se rappelle vraiment plus son passé. Ah ! Ça m'a tuée.

Nous voulions faire une petite sieste, mais je n'arrivais pas à fermer les yeux, je pensais encore à cette scène. Tu sais ce qu'on a fait ? On a joué, comme si Luo était Monte-Cristo, et moi son ancienne fiancée, et qu'on se retrouvait quelque part, vingt ans après. C'était extraordinaire, j'ai même improvisé un tas de trucs, qui sortaient tout seuls, comme ça, de ma bouche. Luo aussi était complètement dans la peau de l'ancien marin. Il m'aimait toujours. Ce que je disais lui crevait le cœur, le pauvre, ça se voyait sur son visage. Il m'a jeté un regard de haine, dur, furieux, comme si j'avais vraiment épousé l'ami qui l'avait piégé.

C'était pour moi une expérience toute nouvelle. Avant, je n'imaginais pas qu'on puisse jouer quelqu'un qu'on n'est pas tout en restant soi-même, par exemple jouer une femme riche et «contente», alors que je ne le suis pas du tout. Luo m'a dit que je pourrais être une bonne comédienne.

Après la comédie, il y a eu le jeu. Comme un caillou, le porte-clés de Luo est à peu près tombé à l'endroit habituel. J'ai piqué une tête et suis entrée dans l'eau. À tâtons, j'ai fouillé les pierres et les recoins les plus sombres, centimètre par centimètre, et soudain, dans le noir presque absolu, j'ai touché un serpent. Ouah, ça faisait des années que je n'en avais pas touché, mais même dans l'eau, j'ai

910 reconnu sa peau glissante et froide. Par réflexe, je me suis sauvée tout de suite, et je suis remontée à la surface.

D'où il était venu ? Je n'en sais rien. Il a peut-être été emporté par le torrent, c'était peut-être une couleuvre affamée qui cherchait un nouveau royaume.

915 Quelques minutes après, malgré l'interdiction de Luo, je replongeais dans l'eau. Je refusais de laisser ses clés à un serpent.

Mais cette fois, qu'est-ce que j'avais peur ! Le serpent me rendait folle : même dans l'eau, je sentais la sueur froide couler sur mon dos. Les pierres immobiles qui tapissaient le sol semblaient tout à 920 coup se mettre à bouger, à devenir des êtres vivants, autour de moi. Tu imagines ! Je remontais à la surface pour reprendre mon souffle.

La troisième fois faillit être la bonne. J'avais enfin vu le porte-clés. Au fond de l'eau, il m'apparaissait comme un anneau flou, quoique encore brillant, mais au moment où j'ai posé la main dessus, 925 j'ai senti un coup sur le poignet droit, un méchant coup de crocs, très violent, qui m'a brûlée, et m'a fait partir en abandonnant le porte-clés.

Dans cinquante ans, on verra encore cette vilaine cicatrice sur mon doigt. Touche.

930　Luo était parti pour un mois.

J'adorais me retrouver seul de temps en temps, pour faire ce que je voulais, manger quand j'en avais envie. J'aurais été l'heureux prince régnant de notre maison sur pilotis, si Luo ne m'avait pas confié une mission délicate, la veille de son départ.

935　– Je voudrais te demander un service, m'avait-il dit en baissant mystérieusement le ton. J'espère qu'en mon absence tu seras le garde du corps de la Petite Tailleuse.

Selon lui, elle était convoitée par beaucoup de garçons de la montagne, y compris les «jeunes rééduqués». Profitant de son mois

940　d'absence, ses adversaires potentiels allaient tous se ruer vers la boutique du tailleur, et se livrer un combat sans merci. «N'oublie pas, me dit-il, que c'est la beauté numéro un du Phénix du Ciel.» Ma tâche consistait à assurer une présence quotidienne à ses côtés, tel le gardien de la porte de son cœur, afin de ne laisser aucune chance

945　aux concurrents de s'introduire dans sa vie privée, de se glisser dans un domaine qui n'appartenait qu'à Luo, mon commandant.

J'acceptai la mission, surpris et flatté. Quelle confiance aveugle me témoignait Luo, avant son départ, en me demandant ce service! C'était comme s'il m'avait confié un trésor fabuleux, le butin de sa

950　vie, sans soupçonner que je pusse le lui voler.

En ce temps-là, je n'avais qu'une volonté: être digne de sa confiance. Je m'imaginais être le général en chef d'une armée en déroute, chargé de traverser un immense désert horrible, pour escorter la femme de son meilleur ami, un autre général. Toutes

955 les nuits, armé d'un pistolet et d'une mitraillette, j'allais monter la garde devant la tente de cette femme sublime, pour faire reculer les fauves atroces qui convoitaient sa chair, leurs yeux, brûlant de désir, brillant dans l'ombre comme des taches phosphorescentes. Un mois plus tard, nous sortirions du désert, après avoir connu les
960 plus épouvantables épreuves : les tempêtes de sable, le manque de nourriture, la pénurie d'eau, les mutineries de mes soldats… Et quand la femme courrait enfin vers mon ami le général, qu'ils se jetteraient dans les bras l'un de l'autre, je m'évanouirais de fatigue et de soif, au sommet de la dernière dune.

965 Ainsi, dès le lendemain du départ de Luo, rappelé en ville par un télégramme, un flic en civil apparut tous les matins sur le sentier menant au village de la Petite Tailleuse. Son visage était sérieux, sa marche pressée. Un flic assidu. C'était l'automne, le flic avançait vite, tel un voilier ayant le vent en poupe. Mais passé l'ancienne
970 maison du Binoclard, le sentier tournait vers le nord, et le flic se voyait contraint de marcher contre le vent, le dos courbé, la tête baissée, comme un randonneur tenace et expérimenté. Au passage dangereux dont j'ai déjà parlé, large de trente centimètres et bordé par deux précipices vertigineux, ce fameux passage obligé du pèle-
975 rinage de la beauté, il ralentissait le pas, mais sans s'arrêter, ni se mettre à quatre pattes. Il gagnait tous les jours son combat contre le vertige. Il traversait en marchant d'un pas légèrement vacillant, tout en fixant les yeux saillants et indifférents du corbeau à bec rouge, toujours perché sur le même rocher, à l'autre bout du passage.

980 Au moindre faux pas, notre flic funambule pouvait aller s'écraser au fond d'un gouffre, celui de gauche, ou celui de droite.

Ce policier sans uniforme parla-t-il au corbeau, lui porta-t-il une miette de nourriture ? À mon avis, non. Il était impressionné, oui, et même longtemps plus tard, il garda en mémoire le regard indifférent
985 que lui jetait l'oiseau. Seules certaines divinités montrent semblable indifférence. Mais l'oiseau ne parvint pas à ébranler la conviction de notre flic, qui avait une seule chose en tête : sa mission.

Soulignons que la hotte en bambou, jadis portée par Luo, était maintenant sur le dos de notre policier. Un roman de Balzac, tra-

990   duit par Fu Lei, était toujours caché au fond, sous des feuilles, des légumes, des grains de riz ou de maïs. Certains matins, lorsque le ciel était très bas, vous aviez l'impression, en regardant de loin, qu'une hotte en bambou grimpait toute seule sur le sentier, et disparaissait dans un nuage gris.

995   La Petite Tailleuse ignorait qu'elle se trouvait sous protection, et me considérait seulement comme un lecteur remplaçant.

Sans aucune prétention, je constatais que ma lecture, ou la lecture à ma façon, plaisait un peu plus à mon auditrice que celle de mon prédécesseur. Lire à voix haute une page entière me 000 paraissait insupportablement ennuyeux, et je décidai de faire une lecture approximative, c'est-à-dire que je lisais d'abord deux ou trois pages ou un court chapitre, pendant qu'elle travaillait à sa machine à coudre. Puis, après une courte rumination, je lui posais une question ou lui demandais de deviner ce qui allait se passer. 005 Une fois qu'elle avait répondu, je lui racontais ce qu'il y avait dans le livre, presque paragraphe par paragraphe. De temps à autre, je ne pouvais m'empêcher d'ajouter des petites choses à droite à gauche, disons des petites touches personnelles, pour que l'histoire l'amusât davantage. Il m'arrivait même d'inventer des situations, 010 ou d'introduire l'épisode d'un autre roman, quand je trouvais que le vieux père Balzac était fatigué.

Parlons du fondateur de cette dynastie de couturiers, du maître de la boutique familiale. Entre deux déplacements professionnels dans les villages environnants, le séjour du vieux tailleur dans sa 015 propre maison se réduisait souvent à deux ou trois jours. Il s'habitua vite à mes visites quotidiennes. Mieux encore, en chassant l'essaim de prétendants déguisés en clients, il était le meilleur complice de ma mission. Il n'avait pas oublié les neuf nuits passées chez nous, à écouter *Le Comte de Monte-Cristo*. L'expérience se renouvela dans sa 020 propre demeure. Peut-être un peu moins passionné, mais toujours très intéressé, il fut l'auditeur partiel du *Cousin Pons*, une histoire plutôt noire, toujours de Balzac. Sans le faire exprès, il tomba trois fois de suite sur un épisode où apparaissait Cibot le tailleur, un second rôle, tué à petit feu par Rémonencq le ferrailleur.

1025   Aucun flic au monde ne mit plus d'acharnement que moi à remplir une mission. Entre deux chapitres du *Cousin Pons*, je participais
volontiers aux travaux ménagers ; c'était moi qui me chargeais tous
les jours de charrier l'eau du puits commun, deux gros seaux en
bois sur les épaules, pour remplir le réservoir familial de la jeune
1030 couturière. Il m'arrivait souvent de lui préparer ses repas, et de
découvrir d'humbles plaisirs dans maints détails exigeant la patience
du cuisinier : nettoyer et couper les légumes ou la viande, fendre les
bûches avec une hache mal aiguisée, faire prendre le bois, maintenir
avec ruse le feu qui risquait de s'éteindre à tout instant. Parfois, je
1035 n'hésitais pas, s'il le fallait, à souffler sur les braises, la bouche grande
ouverte, pour attiser le feu avec l'haleine impatiente de ma jeunesse,
dans une fumée épaisse, irrespirable, une poussière étouffante. Tout
allait très vite. Bientôt, la courtoisie et le respect dus à la femme,
révélés par les romans de Balzac, me transformèrent en lavandière
1040 qui faisait la lessive à la main dans le ruisseau, même en ce début
d'hiver, lorsque la Petite Tailleuse était débordée par ses commandes.

    Cet apprivoisement perceptible et attendrissant me conduisit à
une approche plus intime de la féminité. La balsamine, cela vous
dit quelque chose ? On la trouve facilement chez les fleuristes ou
1045 aux fenêtres des maisons. C'est une fleur parfois jaune mais souvent
sanglante, dont le fruit gonfle, s'agite, mûrit, et éclate au moindre
contact, en projetant ses graines. C'était l'impératrice emblématique
de la montagne du Phénix du Ciel car, dans la forme de ses fleurs,
on peut soi-disant observer la tête, les ailes, les pattes, et même la
1050 queue du phénix.

    Une fin d'après-midi, nous nous retrouvâmes tous les deux en
tête à tête dans la cuisine, à l'abri des regards curieux. Là, le policier,
qui cumulait aussi les charges de lecteur, de conteur, de cuisinier, et
de laveuse, rinça soigneusement dans une cuvette en bois les doigts
1055 de la Petite Tailleuse, puis doucement, comme une esthéticienne
minutieuse, il appliqua sur chacun de ses ongles l'épais jus tiré des
fleurs de balsamine broyées.

    Ses doigts, qui n'avaient rien à voir avec ceux des paysannes,
n'étaient pas déformés par les travaux des champs ; le majeur de la

1060 main gauche portait une cicatrice rose, sans doute laissée par les crocs du serpent de la petite baie du torrent.

– Où tu as appris ce truc de filles? me demanda la Petite Tailleuse.

– Ma mère m'en a parlé. Selon elle, quand tu enlèveras demain
1065 matin les petits morceaux de tissu fixés au bout de tes doigts, tes ongles seront teints en rouge vif, comme si tu les avais vernis.

– Ça restera longtemps?

– Une dizaine de jours.

J'aurais voulu lui demander de m'accorder le droit de déposer
1070 un baiser sur ses ongles rouges, le lendemain matin, en récompense de mon petit chef-d'œuvre, mais la cicatrice encore fraîche de son majeur me força à respecter les interdits dictés par mon statut, et à tenir l'engagement chevaleresque que j'avais pris vis-à-vis du commandeur de ma mission.

1075 Ce soir-là, en sortant de chez elle avec ma hotte en bambou chargée du *Cousin Pons*, je pris conscience de la jalousie que je suscitais chez les jeunes du village. À peine me fus-je engagé sur le sentier qu'un groupe d'une quinzaine de paysans apparut derrière mon dos, et me suivit silencieusement.

1080 Je tournai la tête et leur jetai un regard, mais la méchante hostilité de leurs jeunes visages me surprit. J'accélérai le pas.

Soudain, une voix s'éleva dans mon dos, qui exagérait ridiculement l'accent de la ville:

– Ah! La Petite Tailleuse, permettez-moi de faire la lessive pour
1085 vous.

Je rougis, comprenant sans aucune ambiguïté qu'on m'imitait, me parodiait, se moquait de moi. Je tournai la tête, pour identifier l'auteur de cette vilaine comédie: c'était le boiteux du village, le plus âgé du groupe, qui agitait un lance-pierres comme une baguette
1090 de commandement.

Je fis mine de ne rien avoir entendu, et continuai mon chemin, tandis que le groupe me cernait, me bousculait, criait en chœur la phrase du boiteux et éclatait d'un rire lubrique, bruyant et sauvage.

1095 Bientôt, l'humiliation se précisa encore, sous la forme d'une phrase assassine, prononcée par quelqu'un qui pointa le doigt sous mon nez :

– Sale laveur de culottes de la Petite Tailleuse !

Quel choc pour moi ! Et quelle précision de la part de mon adversaire ! Je ne pus dire un mot, ni dissimuler ma gêne, puisque j'en 1100 avais effectivement lavé une.

À cet instant, le boiteux me devança, me barra le passage, retira son pantalon, et enleva sa culotte, découvrant son sexe ratatiné et broussailleux.

– Prends, je veux que tu laves la mienne aussi ! cria-t-il avec un 1105 rire provocateur, obscène, et un visage déformé par l'excitation.

Il leva en l'air sa culotte jaunâtre tirant sur le noir, rapiécée et crasseuse, et l'agita au-dessus de sa tête.

Je cherchai tous les jurons que je connaissais, mais je débordais tellement de colère, j'étais tellement à bout de nerfs, que je n'arrivai 1110 pas à en « gueuler » un. Je tremblais, j'avais envie de pleurer.

La suite, je ne m'en souviens pas très bien. Mais je sais que je pris un terrible élan, et que brandissant ma hotte, je me jetai sur le boiteux. Je voulais le frapper en pleine figure, mais il réussit à esquiver le coup, et le reçut seulement sur l'épaule droite. Dans 1115 cette lutte d'un contre tous, je succombai au nombre et fus maîtrisé par deux jeunes gaillards. Ma hotte éclata, tomba, se renversa, et étala son contenu par terre : deux œufs écrasés dégoulinèrent sur une feuille de chou, et tachèrent la couverture du *Cousin Pons*, qui gisait dans la poussière.

1120 Le silence tomba soudain ; mes agresseurs, c'est-à-dire l'essaim des prétendants blessés de la Petite Tailleuse, bien que tous illettrés, étaient ahuris par l'apparition de cet objet étrange : un livre. Ils s'en approchèrent, et formèrent un cercle autour, à l'exception des deux jeunes qui me tenaient les bras.

1125 Le boiteux sans culotte s'accroupit, ouvrit la couverture, et découvrit le portrait de Balzac en noir et blanc, avec une longue barbe et des moustaches argentées.

– C'est Karl Marx ? demanda l'un d'eux au boiteux. Tu dois le savoir, tu as voyagé plus que nous.

130   Le boiteux hésita à répondre.

– C'est peut-être Lénine ? dit un autre.

– Ou Staline, sans uniforme.

Profitant du flottement général, je dégageai mes bras dans un dernier sursaut, et me précipitai, presque en plongeant, vers *Le Cousin Pons*, après avoir écarté les paysans autour.

– N'y touchez pas, criai-je, comme s'il s'agissait d'une bombe prête à exploser.

À peine le boiteux comprit-il ce qui se passait que je lui arrachai le livre des mains, partis à toute allure et m'enfonçai dans le sentier.

Une volée de pierres et de cris accompagna ma fuite, un long moment durant. « Sale laveur de culottes ! Lâche ! On va te rééduquer ! » Soudain, un caillou envoyé au lance- pierres frappa mon oreille gauche, et une douleur violente me fit perdre immédiatement une partie de l'audition. Par réflexe, je mis ma main dessus, et mes doigts se tachèrent de sang.

Derrière moi, les injures augmentaient à la fois en volume sonore et en obscénité. Les voix qui se répercutaient contre les parois rocheuses résonnaient dans la montagne, se transformaient en menace de lynchage, en avertissement d'un nouveau guet-apens. Puis tout s'arrêta. Le calme.

Sur le chemin du retour, le flic blessé décida à contrecœur d'abandonner sa mission.

Cette nuit-là fut particulièrement longue. Notre maison sur pilotis me paraissait déserte, humide, plus sombre qu'avant. Une odeur de maison abandonnée flottait dans l'air. Une odeur facilement reconnaissable : froide, rance, chargée de moisissure, perceptible et tenace. On aurait dit que personne n'y habitait. Cette nuit-là, pour oublier la douleur de mon oreille gauche, je relus mon roman préféré, *Jean-Christophe*, à la lumière de deux ou trois lampes à pétrole. Mais même leur fumée agressive ne put chasser cette odeur, dans laquelle je me sentais de plus en plus perdu.

L'oreille ne saignait plus, mais elle était meurtrie, gonflée, continuait à me faire mal et m'empêchait de lire. Je la palpai doucement, et ressentis de nouveau une vive douleur qui me mit en rage.

1165   Quelle nuit! Je m'en souviens encore aujourd'hui, mais tant d'années plus tard, je ne parviens toujours pas à m'expliquer ma réaction. Cette nuit-là, l'oreille douloureuse, je me tournai et me retournai sur mon lit qu'on aurait dit tapissé d'aiguilles et, au lieu d'imaginer comment me venger et couper les oreilles du boiteux

1170 jaloux, je me voyais de nouveau assailli par la même bande. J'étais attaché à un arbre. On me lynchait, on m'infligeait des tortures. Les derniers rayons du soleil frappaient un couteau de leur éclat. Celui-ci, brandi par le boiteux, ne ressemblait pas au traditionnel couteau de boucher; sa lame était étonnamment longue et pointue.

1175 Du bout des doigts, le boiteux en caressait doucement le fil, puis il dressait l'arme et, sans aucun bruit, coupait mon oreille gauche. Elle tombait par terre, rebondissait, et retombait, tandis que mon bourreau essuyait la longue lame éclaboussée de sang. L'arrivée de la Petite Tailleuse en pleurs interrompait le sauvage lynchage, et la

1180 bande du boiteux se sauvait.

    Je me voyais alors détaché par cette fille aux ongles rouge vif, teints par la balsamine. Elle me laissait fourrer ses doigts dans ma bouche, et les lécher de la pointe de ma langue sinueuse et brûlante. Ah! le jus épais de la balsamine, cet emblème de notre montagne

1185 coagulé sur ses ongles étincelants avait un goût douceâtre et une odeur presque musquée, qui me procuraient une sensation suggestivement charnelle. Au contact de ma salive, le rouge de la teinture devenait plus fort, plus vif, puis il se ramollissait, se muait en lave volcanique, torride, qui gonflait, sifflait, tournoyait dans ma bouche

1190 bouillonnante, comme un véritable cratère.

    Puis le flot de lave entamait librement un voyage, une quête; il s'écoulait le long de mon torse meurtri, louvoyait sur cette plaine continentale, contournait mes tétons, glissait vers mon ventre, s'arrêtait à mon nombril, pénétrait à l'intérieur sous les poussées de sa

1195 langue à elle, se perdait dans les méandres de mes veines et de mes entrailles, et finissait par trouver le chemin qui le conduisait à la source de ma virilité émue, bouillonnante, anarchique, parvenue à l'âge de l'indépendance, et qui refusait d'obéir aux contraintes strictes et hypocrites que s'était fixées le flic.

200   La dernière lampe à pétrole vacilla, puis s'éteignit par manque d'huile, laissant le policier, à plat ventre dans le noir, se livrer à une trahison nocturne, et souiller sa culotte.

Le réveil à chiffres phosphorescents marquait minuit.

– J'ai des pépins, me dit la Petite Tailleuse.

1205 C'était au lendemain de mon agression par l'essaim de ses prétendants lubriques. Nous étions chez elle, dans la cuisine, enveloppés dans une fumée tantôt verte, tantôt jaune, et par l'odeur du riz cuisant dans la casserole. Elle coupait des légumes, et je m'occupais du feu, tandis que son père, rentré de sa tournée, travaillait dans
1210 la pièce principale ; on entendait les bruits familiers et réguliers de la machine à coudre. Apparemment, ni lui ni sa fille n'étaient au courant de mon incident. À ma surprise, ils ne remarquèrent pas la meurtrissure de mon oreille gauche. J'étais tellement absorbé par la recherche d'un prétexte pour présenter ma démission que la Petite
1215 Tailleuse dut répéter sa phrase pour m'arracher à ma contemplation.

– J'ai de gros ennuis.

– Avec la bande du boiteux ?

– Non.

– Avec Luo ? demandai-je, avec un espoir de rival.

1220 – Non plus, dit-elle tristement. Je m'en veux, mais c'est trop tard.

– De quoi tu parles ?

– J'ai des nausées. Ce matin encore, j'ai vomi.

À cet instant, je vis, avec un pincement de cœur, des larmes jaillir de ses yeux, couler silencieusement sur son visage, et tomber
1225 goutte à goutte sur les feuilles des légumes et sur ses mains, dont les ongles étaient teints en rouge.

– Mon père va tuer Luo, s'il l'apprend, dit-elle en pleurant doucement, sans un sanglot.

Depuis deux mois, elle n'avait plus ses règles. Elle n'en avait
pas parlé à Luo, qui était pourtant responsable ou coupable de ce
dysfonctionnement. Lors de son départ, un mois auparavant, elle
ne s'inquiétait pas encore.

Sur le coup, ces larmes inattendues et inhabituelles me boule-
versèrent davantage que le contenu de sa confession. J'aurais voulu
la prendre dans mes bras pour la consoler, je souffrais de la voir
souffrir, mais les coups de pédale que son père donnait à la machine
à coudre résonnèrent comme un rappel à la réalité.

Sa douleur était difficilement consolable. Malgré mon ignorance
presque totale des choses du sexe, je comprenais la signification de
ces deux mois de retard.

Bientôt contaminé par son désarroi, je versai moi-même quelques
larmes à son insu, comme s'il s'était agi de mon propre enfant,
comme si c'était moi, et non Luo, qui avais fait l'amour avec elle
sous le magnifique ginkgo ou dans l'eau limpide de la petite baie.
Je me sentais très sentimental, très proche d'elle. J'aurais passé ma
vie à être son protecteur, j'étais prêt à mourir célibataire si cela
avait pu atténuer son angoisse. Je me serais marié avec elle, si la loi
l'avait permis, même un mariage en blanc, pour qu'elle accouchât
légitimement et en toute tranquillité de l'enfant de mon ami.

Je jetai un coup d'œil à son ventre, dissimulé sous un pull-over
rouge tricoté à la main, mais n'y vis que les convulsions rythmiques
et douloureuses dues à sa respiration difficile et à ses pleurs silencieux. Quand une femme commence à pleurer l'absence de ses
menstrues, il est impossible de l'arrêter. La peur me saisit, et je
sentis un tremblement parcourir mes jambes.

J'oubliai la chose principale, c'est-à-dire de lui demander si elle
voulait être mère à dix-huit ans. La raison de cet oubli était simple :
la possibilité de garder l'enfant était nulle et trois fois nulle. Aucun
hôpital, aucune accoucheuse de la montagne n'accepterait de violer
la loi, en mettant au monde l'enfant d'un couple non marié. Et Luo
ne pourrait épouser la Petite Tailleuse que dans sept ans, car la loi
interdisait de se marier avant l'âge de vingt-cinq ans. Cette absence
d'espoir était accentuée par l'inexistence d'un lieu échappant à la

loi, vers lequel nos Roméo et Juliette enceinte pourraient s'enfuir,
pour vivre à la façon du vieux Robinson, aidés par un ex-policier
reconverti en Vendredi. Chaque centimètre carré de ce pays était sous
le contrôle vigilant de «la dictature du prolétariat», qui recouvrait
toute la Chine comme un immense filet, sans le moindre maillon
manquant.

Quand elle fut calmée, nous évoquâmes toutes les possibilités
envisageables pour pratiquer un avortement, et nous en débattîmes
à maintes reprises derrière le dos de son père, cherchant la solution
la plus discrète, la plus rassurante, qui sauverait le couple d'une
punition politique, administrative, et du scandale. La législation
perspicace semblait avoir tout prévu pour les coincer : ils ne pouvaient pas mettre leur enfant au monde avant le mariage, et la loi
interdisait l'avortement.

Dans ce moment important, je ne pus m'empêcher d'admirer
la prévoyance de mon ami Luo. Par bonheur, il m'avait confié une
mission de protection et, fort de mon rôle, je réussis à convaincre
sa femme illégitime de ne pas recourir aux herboristes de la montagne, qui risquaient non seulement de l'empoisonner, mais aussi
de la dénoncer. Puis, en lui brossant le noir tableau d'une infirmité
qui la condamnerait à épouser le boiteux du village, je la persuadai
que sauter du toit de sa maison dans l'espoir de faire une fausse
couche était une pure idiotie.

Le lendemain matin, comme nous en étions convenus la veille,
je partis en éclaireur à Yong Jing, la ville du district, afin de sonder
les possibilités du service de gynécologie de l'hôpital.

Yong Jing, vous vous en souvenez certainement, est cette ville si
petite que, quand la cantine de la mairie sert du bœuf aux oignons,
toute la ville en respire l'odeur. Sur une colline, derrière le terrain
de basket du lycée où nous avions assisté aux projections en plein
air, se trouvaient les deux bâtiments du petit hôpital. Le premier,
réservé aux consultations externes, se tenait au pied de la colline ;
l'entrée était ornée d'un immense portrait du président Mao en
uniforme militaire, agitant la main vers le pêle-mêle des malades
qui faisaient la queue, avec des enfants qui poussaient des cris et

pleuraient. Le deuxième, dressé au sommet de la colline, était un
bâtiment de trois étages, sans balcon, en briques blanchies à la
chaux ; il servait uniquement aux hospitalisations.

C'est ainsi qu'un matin, après deux jours de marche et une nuit
blanche passée au milieu des poux dans une auberge, je me glissai avec
toute la discrétion d'un espion dans le bâtiment des consultations.
Pour me fondre dans l'anonymat de la foule paysanne, je portais
ma vieille veste en peau de mouton. Dès que je mis les pieds dans
ce domaine de la médecine qui m'était familier depuis l'enfance,
je me sentis mal à l'aise et transpirai. Au rez-de-chaussée, au bout
d'un couloir sombre, étroit, humide, chargé d'une odeur souter-
raine légèrement écœurante, des femmes attendaient, assises sur
deux rangées de bancs disposés le long des murs ; la plupart avaient
un gros ventre, certaines gémissaient doucement de douleur. C'est
là que je trouvai le mot gynécologie, écrit à la peinture rouge sur
une plaque en bois accrochée sur la porte d'un bureau hermétiquement fermée. Quelques minutes plus tard, la porte s'entrouvrit
pour permettre à une patiente très maigre de sortir, une feuille
d'ordonnance à la main, et à la suivante de s'engouffrer dans le
cabinet. À peine aperçus-je la silhouette d'un médecin en blouse
blanche, assis derrière un bureau, que la porte se refermait déjà.

La mesquinerie de cette porte inaccessible m'obligea à attendre
la prochaine ouverture. J'avais besoin de voir comment était ce
gynécologue. Mais lorsque je tournai la tête, quels regards irrités
les femmes assises sur les bancs ne me jetèrent-elles pas ! C'étaient
des femmes en colère, ça je vous le jure !

Ce qui les choquait, je m'en rendais bien compte, c'était mon
âge. J'aurais dû me déguiser en femme, et cacher un oreiller sur
mon ventre pour simuler une grossesse. Car le jeune homme de
dix-neuf ans que j'étais, avec sa veste de peau de mouton, debout
dans le couloir des femmes, avait l'air d'un intrus gênant. Elles me
regardaient comme un pervers sexuel ou un voyeur qui cherchait
à épier des secrets féminins.

Que mon attente fut longue ! La porte ne bougeait pas. J'avais
chaud, ma chemise était trempée de sueur. Pour que le texte de

Balzac que j'avais copié sur l'envers de la peau restât intact, j'ôtai
ma veste. Les femmes se mirent à chuchoter entre elles, mystérieusement. Dans ce couloir sombre, elles ressemblaient à des conspi-
ratrices obèses, complotant dans une lumière crépusculaire. On
aurait dit qu'elles préparaient un lynchage.

– Qu'est-ce que tu fous là? cria la voix agressive d'une femme
qui me tapa sur l'épaule.

Je la regardai. C'était une femme aux cheveux courts, vêtue
d'une veste d'homme, d'un pantalon, et coiffée d'une casquette
militaire verte, ornée d'une médaille rouge avec l'effigie dorée de
Mao, signe extérieur de sa bonne conscience morale. Malgré sa
grossesse, son visage était presque entièrement couvert de boutons,
purulents ou cicatrisés. J'eus pitié pour l'enfant grandissant dans
son ventre.

Je décidai de faire l'idiot, juste pour l'agacer un peu. Je continuai
à la fixer, jusqu'à ce qu'elle répétât bêtement sa question, puis lentement, comme dans un film au ralenti, je plaçai ma main gauche
derrière mon oreille, dans le geste du sourd-muet.

– Il a l'oreille bleue et gonflée, dit une femme assise.

– Pour les oreilles, c'est pas ici! brailla la femme à casquette,
comme on parle à un sourdingue. Va voir en haut, en ophtalmo!

Quel désordre! Et pendant qu'elles discutaient de qui s'occupait
des oreilles, un ophtalmo, ou un oto-rhino, la porte s'ouvrit. Cette
fois, j'eus le temps de graver dans ma mémoire les longs cheveux
grisonnants et le visage anguleux, fatigué, du gynécologue, un homme
de quarante ans, une cigarette à la bouche.

Après cette première reconnaissance, je fis une longue pro-
menade, c'est-à-dire que je tournai en rond dans l'unique rue de
la ville. Je ne sais combien de fois je marchai jusqu'au bout de la
rue, traversai le terrain de basket, et revins à l'entrée de l'hôpital.
Je n'arrêtais pas de penser à ce médecin. Il avait l'air plus jeune
que mon père. Je ne savais pas s'ils se connaissaient. On m'avait
dit qu'il recevait en gynécologie le lundi et le jeudi et que, le reste
de la semaine, il s'occupait tour à tour de chirurgie, d'urologie, et
de maladies digestives. Il était possible qu'il connût mon père, au

moins de nom, car avant de devenir un ennemi du peuple, celui-ci avait joui d'une certaine réputation dans notre province. J'essayais de me représenter mon père ou ma mère à sa place, dans cet hôpital de district, recevant la Petite Tailleuse et leur fils bien-aimé derrière la porte où était inscrit « gynécologie ». Ce serait sûrement la plus grande catastrophe de leur vie, pire que la Révolution culturelle ! Sans même me laisser expliquer qui était l'auteur de la grossesse, ils me jetteraient dehors, scandalisés, et ne me reverraient plus jamais. C'était difficile à comprendre, mais les « intellectuels bourgeois », auxquels les communistes avaient infligé tant de malheurs, étaient moralement aussi sévères que leurs persécuteurs.

Ce midi-là, je mangeai au restaurant. Je regrettai aussitôt ce luxe qui réduisit considérablement ma bourse, mais c'était le seul endroit dans lequel on pouvait aborder des inconnus. Qui sait ? Peut-être allais-je y rencontrer un voyou qui connaissait toutes les combines pour avorter.

Je commandai un plat de coq sauté aux piments frais et un bol de riz. Mon repas, que je fis volontairement durer, fut plus long que celui d'un vieillard édenté. Mais, au fur et à mesure que la viande diminuait dans mon assiette, mon espoir s'envola. Les voyous de la ville, plus pauvres ou plus pingres que moi, ne mirent pas les pieds au restaurant.

Pendant deux jours, mon approche gynécologique se révéla infructueuse. Le seul homme avec lequel je parvins à aborder le sujet fut le veilleur de nuit de l'hôpital, un ex-policier de trente ans, radié de sa profession un an auparavant pour avoir couché avec deux filles. Je restai dans sa loge jusqu'à minuit, et nous jouâmes aux échecs, en nous racontant nos exploits d'aventuriers. Il me demanda de lui présenter les belles filles rééduquées de ma montagne, dont je prétendais être un fin connaisseur, mais il refusa de donner un coup de main à mon amie qui « avait des ennuis avec ses règles ».

– Ne me parle pas de ça, me dit-il avec effroi. Si la direction de l'hôpital découvrait que je me mêle de ce genre de choses, elle m'accuserait de récidive et m'enverrait directement en prison, sans aucune hésitation.

Au troisième jour, vers midi, convaincu de l'inaccessibilité de la porte du gynécologue, j'étais prêt à repartir pour la montagne quand, soudain, le souvenir d'un personnage me traversa la tête : le pasteur de la ville.

Je ne connaissais pas son nom mais, lorsque nous avions assisté aux projections cinématographiques, ses longs cheveux argentés flottant dans le vent nous avaient plu. Il y avait chez lui quelque chose d'aristocratique, même lorsqu'il nettoyait la rue, vêtu d'une grande blouse bleue d'éboueur, avec un balai au très long manche en bois, et que tout le monde, même les gamins de cinq ans, l'insultait, le frappait, ou crachait sur lui. Depuis vingt ans, on lui interdisait d'exercer ses fonctions religieuses.

Chaque fois que je pense à lui, je me souviens d'une anecdote qu'on m'a racontée : un jour, les Gardes rouges fouillèrent sa maison, et trouvèrent un livre caché sous son oreiller, écrit dans une langue étrangère, que personne ne connaissait. La scène n'était pas sans ressemblance avec celle de la bande du boiteux autour du *Cousin Pons*. Il fallut envoyer ce butin à l'Université de Pékin pour savoir enfin qu'il s'agissait d'une Bible en latin. Elle coûta cher au pasteur car, depuis, il était forcé de nettoyer la rue, toujours la même, du matin au soir, huit heures par jour, quel que fût le temps. Il finit ainsi par devenir une décoration mobile du paysage.

Aller consulter un pasteur au sujet d'un avortement me paraissait une idée farfelue. N'étais-je pas en train de perdre les pédales à cause de la Petite Tailleuse ? Puis je réalisai soudain, avec surprise, que depuis trois jours je n'avais pas vu une seule fois la chevelure argentée du vieux nettoyeur de rue, aux gestes mécaniques.

Je demandai à un vendeur de cigarettes si le pasteur en avait fini de sa corvée.

– Non, me dit-il. Il est à deux doigts de la mort, le pauvre.

– Il est malade de quoi ?

– Le cancer. Ses deux fils sont revenus des grandes villes où ils habitent. Ils l'ont mis à l'hôpital du district.

Je courus, sans savoir pourquoi. Au lieu de traverser lentement la ville, je me lançai dans une course qui me fit perdre le souffle.

Arrivé au sommet de la colline où se dressait le bâtiment des hospitalisations, je décidai de tenter ma chance et d'arracher un conseil
au pasteur mourant.

À l'intérieur, l'odeur des médicaments mêlée à la puanteur des
latrines communes mal nettoyées, à la fumée et à la graisse, me
piqua le nez et m'étouffa. On se serait cru dans un camp de réfu-
giés pendant la guerre : les chambres des malades servaient aussi
de cuisine. Des casseroles, des planches à découper, des poêles, des
légumes, des œufs, des bouteilles de sauce de soja, de vinaigre, du
sel, étaient éparpillés par terre, anarchiquement, à côté des lits des
patients, parmi les bassins et les trépieds où étaient suspendues les
bouteilles de transfusion sanguine. En cette heure du déjeuner,
certains, penchés au-dessus des casseroles fumantes, plongeaient
leurs baguettes dedans, et se disputaient des nouilles ; d'autres
faisaient sauter des omelettes, qui grésillaient et claquaient dans
l'huile bouillante.

Ce décor me déroutait. J'ignorais qu'il n'y eût pas de cantine dans
un hôpital de district, et que les patients dussent se débrouiller pour
se nourrir, alors qu'ils étaient déjà handicapés par leurs maladies,
sans parler de ceux dont les corps étaient abîmés, difformes, quelquefois mutilés. C'était un spectacle tumultueux, sens dessus dessous,
qu'offraient ces cuisiniers clowns, bariolés d'emplâtres rouges, verts
ou noirs, avec leurs pansements à moitié défaits, qui flottaient dans
la vapeur, au-dessus de l'eau bouillant dans les casseroles.

Je trouvai le pasteur agonisant dans une chambre à six lits. Il était
sous perfusion, entouré de ses deux fils et de ses deux belles-filles,
tous âgés d'une quarantaine d'années, et d'une vieille femme en
pleurs, qui lui préparait son repas sur un réchaud à pétrole. Je me
glissai à côté d'elle, et m'accroupis.

– Vous êtes sa femme ? lui demandai-je.

Elle hocha la tête affirmativement. Sa main tremblait si fort que
je lui pris ses œufs, et les cassai pour elle.

Ses deux fils, vêtus de vestes Mao bleues boutonnées jusqu'au
col, avaient des mines de fonctionnaires, ou d'employés des pompes
funèbres, et pourtant, ils se donnaient des airs de journalistes,

concentrés sur la mise en route d'un vieux magnétophone grinçant, rouillé, dont la peinture jaune était tout écaillée.

Soudain, un bruit aigu, assourdissant, s'échappa du magnétophone, et retentit comme une alarme, manquant faire tomber les bols des autres patients de la chambre, qui mangeaient chacun sur son lit.

Le fils cadet parvint à étouffer ce bruit diabolique, tandis que son frère approchait un micro vers les lèvres du pasteur.

– Dis quelque chose, papa, supplia le fils aîné.

Ses cheveux argentés étaient presque tous tombés, et le visage du pasteur était méconnaissable. Il avait tant maigri qu'il ne lui restait que la peau sur les os, une peau mince comme une feuille de papier, jaune et terne. Son corps, jadis robuste, s'était considérablement rétréci. Blotti sous sa couverture, luttant contre la souffrance, il finit par ouvrir ses paupières lourdes. Ce signe de vie fut accueilli avec un étonnement mêlé de joie par son entourage. Le micro fut de nouveau approché de sa bouche. La bande magnétique se mit à tourner avec un grincement de verre cassé, piétiné par des bottes.

– Papa, fais un effort, dit son fils. On va enregistrer ta voix une dernière fois pour tes petits-enfants.

– Si tu pouvais réciter une phrase du président Mao, ce serait idéal. Une seule phrase, ou un slogan, vas-y ! Ils sauront que leur grand-père n'est plus un réactionnaire, que son cerveau a changé ! cria le fils reconverti en ingénieur du son.

Un imperceptible tremblement parcourut les lèvres du pasteur, mais sa voix n'était pas audible. Pendant une minute, il chuchota des mots que nul ne saisit. Même la vieille femme avoua, désemparée, son incapacité à le comprendre.

Puis il retomba dans le coma.

Son fils recula la bande et toute la famille écouta de nouveau ce mystérieux message.

– C'est du latin, déclara le fils aîné. Il a fait sa dernière prière en latin.

– C'est bien lui, dit la vieille femme en essuyant avec un mouchoir le front trempé de sueur du pasteur.

Je me levai et me dirigeai vers la porte, sans dire un mot. Par
hasard, j'avais aperçu la silhouette du gynécologue en blouse blanche
passer devant la porte telle une apparition. Comme au ralenti, je
l'avais vu tirer la dernière bouffée de sa cigarette, recracher la fumée,
jeter le mégot par terre, et disparaître.

Je traversai précipitamment la chambre, heurtai une bouteille
de sauce de soja et trébuchai sur une poêle vide qui traînait par
terre. Ce contretemps me fit arriver trop tard dans le couloir, le
médecin n'y était plus.

Je le cherchai, porte après porte, en questionnant tous ceux que
je croisai sur mon passage. Enfin, un patient m'indiqua du doigt la
porte d'une chambre au bout du couloir.

– Je l'ai vu entrer là, dans la chambre individuelle. Il paraît
qu'un ouvrier de l'usine de mécanique du Drapeau Rouge s'est
fait couper cinq doigts par une machine.

En approchant de la chambre, j'entendis les cris douloureux
d'un homme, malgré la porte fermée. Je la poussai doucement, et
elle s'ouvrit sans résistance, avec une discrétion silencieuse.

Le blessé, que le médecin pansait, était assis sur le lit, le cou
raide, la tête en arrière, appuyée contre le mur. C'était un homme
de trente ans, au torse nu, musclé, basané, au cou vigoureux. J'entrai
dans la pièce et refermai la porte derrière moi. Sa main sanglante
était à peine voilée par une première couche de pansement. La gaze
blanche était inondée de son sang, qui dégoulinait en grosses gouttes
dans une cuvette en émail posée par terre, à côté du lit, avec un
bruit d'horloge déréglée, tictaquant au milieu de ses gémissements.

Le médecin avait la mine fatiguée d'un insomniaque, comme la
dernière fois que je l'avais vu dans son bureau, mais il était moins
indifférent, moins «lointain». Il déploya un grand rouleau de gaze,
avec laquelle il banda la main de l'homme, sans prêter attention
à ma présence. Ma veste en peau de mouton fut sans effet sur lui,
l'urgence de son travail oblige.

Je sortis une cigarette de ma poche et l'allumai. Puis j'approchai
du lit et, d'un geste presque désinvolte, je plaçai la cigarette, comme
un éventuel sauveur de mon amie, dans la bouche, non, entre les

lèvres du médecin. Il me regarda sans mot dire, et se mit à fumer
1545 en continuant son pansement. J'en allumai une autre, et la tendis
au blessé, qui la prit de la main droite.

– Aide-moi, me dit le médecin, en me passant un bout de la
bande de gaze. Serre-la bien fort.

Chacun d'un côté du lit, nous tirâmes la bande vers nous, comme
1550 deux hommes en train d'empaqueter un bagage avec une corde.

L'écoulement de sang ralentit, le blessé ne gémit plus. Laissant
tomber sa cigarette par terre, il s'endormit brusquement, sous l'effet
de l'anesthésie, selon le médecin.

– Qui es-tu? me demanda-t-il, tout en enroulant la bande de
1555 gaze autour de la main pansée.

– Je suis le fils d'un médecin qui travaille à l'hôpital provincial,
lui dis-je. Enfin, il n'y travaille plus maintenant.

– Comment il s'appelle?

Je voulais lui dire le nom du père de Luo, mais le nom du mien
1560 s'échappa de ma bouche. Un silence gênant suivit cette révélation.
J'avais l'impression qu'il connaissait non seulement mon père, mais
aussi ses déboires politiques.

– Qu'est-ce que tu veux? me demanda-t-il.

– C'est ma sœur… Elle a un problème… Des ennuis avec ses
1565 règles, depuis presque trois mois.

– Ce n'est pas possible, me dit-il froidement.

– Pourquoi?

– Ton père n'a pas de fille. Va-t'en, petit menteur!

Il ne cria pas ces deux dernières phrases, ne me montra pas la
1570 porte du doigt, mais je vis qu'il était réellement en colère; il faillit
me jeter son mégot de cigarette à la figure.

Le visage rouge de honte, je me retournai vers lui, après avoir
fait quelques pas, et m'entendis lui dire:

– Je vous propose un marché: si vous aidez mon amie, elle vous
1575 en saura gré toute sa vie, et je vous donnerai un livre de Balzac.

Quel choc pour lui d'entendre ce nom, en pansant une main
mutilée dans l'hôpital du district, si reculé, si loin du monde. Il finit
par ouvrir la bouche, après un instant de flottement.

– Je t'ai déjà dit que tu es un menteur. Comment tu pourrais avoir un livre de Balzac ?

Sans répondre, j'ôtai ma veste en peau de mouton, je la retournai, et lui montrai le texte que j'avais copié sur la face pelée ; l'encre était un peu plus pâle qu'avant, mais restait encore lisible.

Tout en commençant sa lecture, ou plutôt son expertise, il sortit un paquet de cigarettes et m'en tendit une. Il parcourut le texte en fumant.

– C'est une traduction de Fu Lei, murmura-t-il. Je reconnais son style. Il est comme ton père, le pauvre, un ennemi du peuple.

Cette phrase me fit pleurer. J'aurais voulu me retenir, mais ne le pus. Je « chialais » comme un gosse. Ces larmes, je crois, n'étaient pas pour la Petite Tailleuse, ni pour ma mission accomplie, mais pour le traducteur de Balzac, que je ne connaissais pas. N'est-ce pas le plus grand hommage, la plus grande grâce qu'un intellectuel puisse recevoir en ce monde ?

L'émotion que je ressentis à cet instant-là me surprit moi-même et, dans ma mémoire, elle éclipse presque les événements qui succédèrent à cette rencontre. Une semaine plus tard, un jeudi, jour fixé par le médecin polyvalent, amateur de littérature, la Petite Tailleuse, déguisée en femme de trente ans avec un ruban blanc autour du front, franchit le seuil de la salle d'opération, tandis que, l'auteur de la grossesse n'étant pas encore rentré, je restai trois heures assis dans le couloir, à traquer tous les sons derrière la porte : des bruits lointains, flous, étouffés, l'écoulement d'eau du robinet, le cri déchirant d'une femme inconnue, les voix inaudibles des infirmières, des pas précipités…

L'intervention se passa bien. Quand je fus enfin autorisé à entrer dans le bloc opératoire, le gynécologue m'attendait dans une salle chargée d'une odeur de carbone, au fond de laquelle la Petite Tailleuse, assise sur un lit, s'habillait avec l'aide d'une infirmière.

– C'était une fille, si tu veux savoir, me chuchota le médecin.

Et craquant une allumette, il commença à fumer.

En plus de ce qui avait été convenu, à savoir *Ursule Mirouët*, j'offris aussi au médecin *Jean-Christophe*, mon livre préféré à cette époque, traduit par le même Monsieur Fu Lei.

Bien que l'opérée eût quelque difficulté à marcher, son soulagement à l'instant de sortir de l'hôpital ressemblait à celui d'un prévenu menacé de la peine perpétuelle, et qui, reconnu innocent, quitte le tribunal.

Refusant de se reposer à l'auberge, la Petite Tailleuse insista pour aller au cimetière où le pasteur avait été enterré deux jours auparavant. Selon elle, c'était lui qui m'avait conduit à l'hôpital, et avait arrangé d'une main invisible ma rencontre avec le gynécologue. Avec l'argent qui nous restait, nous achetâmes un kilo de mandarines et les déposâmes en offrande devant sa tombe en ciment, anodine, presque mesquine. Nous regrettions de ne pas connaître le latin pour lui adresser une oraison funèbre en cette langue qu'il avait parlée à l'instant de son agonie, pour prier son Dieu ou maudire sa vie de nettoyeur de rue. Nous hésitâmes à jurer devant sa tombe d'apprendre le latin, un jour ou l'autre, et de revenir lui parler en cette langue. Après une longue discussion, nous décidâmes de ne pas le faire, car nous ne savions pas où trouver un manuel (peut-être aurait-il fallu faire un nouveau casse chez les parents du Binoclard?) et, surtout, il était impossible de trouver un professeur, aucun autre Chinois que lui ne connaissant cette langue, dans notre entourage.

Sur sa pierre tombale étaient gravés son nom et deux dates, sans aucune référence à sa vie personnelle, ni à sa fonction religieuse. Seule une croix y était peinte, en un rouge vulgaire, comme s'il avait été pharmacien ou médecin.

Nous jurâmes que, si un jour nous étions riches et que les religions n'étaient plus interdites, nous reviendrions faire ériger sur sa tombe un monument en relief et en couleurs, sur lequel serait gravé un homme aux cheveux argentés couronnés d'épines, comme Jésus, mais pas les bras en croix. Ses mains, au lieu d'avoir les paumes clouées, tiendraient le long manche d'un balai.

La Petite Tailleuse voulut ensuite se rendre dans un temple bouddhiste condamné et fermé, pour lancer quelques billets pardessus l'enceinte, en remerciement de la grâce accordée par le Ciel. Mais nous n'avions plus un sou.

Voilà. Le moment est venu de vous décrire l'image finale de
50 cette histoire. Le temps de vous faire entendre le craquement de
six allumettes par une nuit d'hiver.

C'était trois mois après l'avortement de la Petite Tailleuse. Le
murmure faible du vent et les bruits de la porcherie circulaient dans
le noir. Depuis trois mois, Luo était rentré dans notre montagne.

55 L'air était chargé d'une odeur de gel. Le bruit sec du frottement
d'une allumette claqua, résonnant et froid. L'ombre noire de notre
maison sur pilotis, figée à une distance de quelques mètres, fut trou-
blée par cette lueur jaune, et grelotta dans le manteau de la nuit.

L'allumette faillit s'éteindre à mi-parcours et s'étouffer dans sa
60 propre fumée noire, mais elle reprit un nouveau souffle, chancelant,
et s'approcha du *Père Goriot*, gisant par terre, devant la maison sur
pilotis. Les feuilles de papier léchées par le feu se tordirent, se blot-
tirent les unes contre les autres, et les mots se ruèrent vers le dehors.
La pauvre fille française fut réveillée de son rêve de somnambule
65 par cet incendie, elle voulut se sauver, mais il était trop tard. Quand
elle retrouva son cousin bien-aimé, elle était déjà engloutie dans
les flammes avec les fétichistes de l'argent, ses prétendants, et son
million d'héritage, tous changés en fumée.

Trois autres allumettes allumèrent simultanément les bûchers
70 du *Cousin Pons*, du *Colonel Chabert* et d'*Eugénie Grandet*. La cinquième
rattrapa Quasimodo qui, avec ses anfractuosités osseuses, fuyait sur
les pavés de *Notre-Dame de Paris*, Esméralda sur son dos. La sixième
tomba sur *Madame Bovary*. Mais la flamme fit soudain une halte de

lucidité à l'intérieur de sa propre folie, et ne voulut pas commencer par la page où Emma, dans une chambre d'hôtel de Rouen,
fumant au lit, son jeune amant blotti contre elle, murmurait : « tu
me quitteras… » Cette allumette, furieuse mais sélective, choisit
d'attaquer la fin du livre, à la scène où elle croyait, juste avant de
mourir, entendre un aveugle chanter :

> *Souvent la fraîcheur d'un beau jour*
> *Fait rêver fillette à l'amour.*

À l'instant où un violon se mit à jouer un air funèbre, une
bouffée de vent surprit les livres en flammes ; les cendres fraîches
d'Emma s'envolèrent, s'entremêlèrent à celles de ses compatriotes
carbonisés, et s'élevèrent dans l'air en flottant.

Cendreux, les crins de l'archet glissaient sur les cordes métalliques luisantes où se reflétait le feu. Le son de ce violon, c'était le
mien. Le violoniste, c'était moi.

Luo, l'incendiaire, ce fils de grand dentiste, cet amant roman-
tique qui avait rampé à quatre pattes sur le passage dangereux, ce
grand admirateur de Balzac, était à présent ivre, accroupi, les yeux
fixés sur le feu, fasciné, voire hypnotisé par les flammes dans lesquelles des mots ou des êtres jadis chers à nos cœurs dansaient avant
d'être réduits en cendres. Tantôt il pleurait, tantôt il éclatait de rire.

Aucun témoin n'assista à notre sacrifice. Les villageois, habitués
au violon, préférèrent certainement rester dans leurs lits chauds.
Nous avions voulu inviter notre vieil ami, le meunier, à se joindre
à nous avec son instrument à trois cordes, pour chanter ses « vieux
refrains » lubriques en faisant onduler les innombrables et fines
rides de son ventre. Mais il était malade. Deux jours auparavant,
quand nous lui avions rendu visite, il avait déjà la grippe.

L'autodafé[1] continua. Le fameux comte de Monte-Cristo, qui
avait jadis réussi à s'évader du cachot d'un château situé au milieu
de la mer, se résigna à la folie de Luo. Les autres hommes ou femmes

---

1. **Autodafé** : bûcher de livres.

705 qui avaient habité dans la valise du Binoclard ne purent y échapper non plus.

Même si le chef du village avait surgi devant nous à ce moment-là, nous n'aurions pas eu peur de lui. Dans notre ivresse, on l'aurait peut-être brûlé vivant, comme s'il avait été lui aussi un personnage
710 littéraire.

De toute façon, il n'y avait personne d'autre que nous deux. La Petite Tailleuse était partie, et ne reviendrait plus jamais nous voir.

Son départ, aussi foudroyant que subit, avait été une surprise totale.

715 Il nous avait fallu fouiller longtemps nos mémoires affaiblies par le choc pour trouver quelques présages, souvent vestimentaires, insinuant qu'un coup mortel était en préparation.

Deux mois plus tôt environ, Luo m'avait dit qu'elle s'était confectionné un soutien-gorge d'après un dessin qu'elle avait trouvé dans
720 *Madame Bovary*. Je lui avais alors fait remarquer que c'était la première lingerie féminine de la montagne du Phénix du Ciel digne d'entrer dans les annales locales.

– Sa nouvelle obsession, m'avait dit Luo, c'est de ressembler à une fille de la ville. Tu verrais, quand elle parle maintenant, elle
725 imite notre accent.

Nous attribuâmes la confection du soutien-gorge à la coquetterie innocente d'une jeune fille, mais je ne sais comment nous avons pu négliger les deux autres nouveautés de sa garde-robe, qui ni l'une ni l'autre ne pouvaient lui servir dans cette montagne. D'abord, elle
730 avait repris ma veste Mao bleue, avec les trois petits boutons dorés sur les manches, que j'avais portée une seule fois, lors de notre visite au vieux meunier. Elle l'avait retouchée, raccourcie, et s'en était fait une veste de femme, qui gardait néanmoins un style masculin, avec ses quatre poches et son petit col. Un ouvrage ravissant mais qui, en
735 ce temps-là, ne pouvait être porté que par une femme vivant dans la grande ville. Ensuite, elle avait demandé à son père de lui acheter au magasin de Yong Jing une paire de tennis blanches, d'un blanc immaculé. Une couleur incapable de résister plus de trois jours à la boue omniprésente de la montagne.

1740   Je me rappelle aussi le nouvel an occidental de cette année-là. Ce n'était pas vraiment une fête, mais un jour de repos national. Comme d'habitude, nous étions allés chez elle, Luo et moi. Je faillis ne pas la reconnaître. En entrant chez elle, je crus voir une jeune lycéenne de la ville. Sa longue natte habituelle, nouée par un ruban

1745   rouge, était remplacée par des cheveux courts, coupés au ras des oreilles, ce qui lui donnait une autre beauté, celle d'une adolescente moderne. Elle était en train de finir de retoucher la veste Mao. Luo se réjouit de cette transformation, à laquelle il ne s'attendait pas. Sa jouissance aveugle atteignit son comble lors de l'essayage

1750   du ravissant ouvrage qu'elle venait d'achever : la veste austère et masculine, sa nouvelle coiffure, ses tennis immaculées remplaçant ses modestes chaussons lui conféraient une étrange sensualité, une allure élégante, annonçant la mort de la jolie paysanne un peu gauche. À la voir ainsi transformée, Luo fut submergé par le bon-

1755   heur d'un artiste contemplant son œuvre accomplie. Il chuchota à mon oreille :

    – On n'a pas fait quelques mois de lecture pour rien.

    L'aboutissement de cette transformation, de cette rééducation balzacienne, sonnait déjà inconsciemment dans la phrase de Luo,

1760   mais elle ne nous mit pas en garde. L'autosuffisance nous endormait-elle ? Surestimait-on les vertus de l'amour ? Ou, tout simplement, n'avions-nous pas saisi l'essentiel des romans qu'on lui avait lus ?

    Un matin de février, la veille de la folle nuit de l'autodafé, Luo et moi, chacun avec un buffle, labourâmes un champ de maïs nouvel-

1765   lement transformé en rizière. Vers dix heures, les cris des villageois interrompirent nos travaux et nous ramenèrent vers notre maison sur pilotis où nous attendait le vieux tailleur.

    Son apparition, sans sa machine à coudre, nous sembla déjà de mauvais augure, mais quand nous fûmes en face de lui, son visage

1770   raviné, sillonné par de nouvelles rides, ses pommettes devenues saillantes et dures, ses cheveux broussailleux nous firent peur.

    – Ma fille est partie ce matin, au petit jour, nous dit-il.

    – Partie ? lui demanda Luo. Je ne comprends pas.

    – Moi non plus, mais c'est bien ce qu'elle a fait.

775 Selon lui, sa fille avait secrètement obtenu du comité directeur de la commune tous les papiers et attestations nécessaires pour entreprendre un long voyage. C'était seulement la veille qu'elle lui avait annoncé son intention de changer de vie, pour aller tenter sa chance dans une grande ville.

780 – Je lui ai demandé si vous étiez au courant, tous les deux, continua-t-il. Elle m'a dit que non et qu'elle vous écrirait dès qu'elle serait installée quelque part.

– Vous auriez dû l'empêcher de partir, dit Luo d'une voix faible, à peine audible.

785 Il était effondré.

– Rien à faire, lui répondit le vieil homme épuisé. Je lui ai même dit : si tu pars, je ne veux plus jamais que tu remettes les pieds ici.

Luo se lança alors dans une course effrénée, désespérée, sur les sentiers escarpés, pour rattraper la Petite Tailleuse. Au début, 790 je le suivis de près, prenant un raccourci par les rochers. La scène ressemblait à un de mes rêves, dans lequel la Petite Tailleuse tombait dans le précipice bordant le passage dangereux. Nous courions, Luo et moi, dans un gouffre où n'existait plus aucun sentier, nous glissions le long des parois rocheuses sans nous soucier une seconde 795 de nous écraser en morceaux. Un moment durant, je ne sus plus si je courais dans mon ancien rêve ou dans la réalité, ou si je courais tout en rêvant. Les rochers avaient presque tous la même couleur gris sombre, et étaient couverts de mousse humide et glissante.

Peu à peu, je fus distancé par Luo. À force de courir, de voltiger 800 sur des rochers, de sautiller de pierre en pierre, la fin de mon ancien rêve me revint, avec des détails précis. Les funestes cris d'un invisible corbeau à bec rouge, tournoyant dans l'air, résonnaient dans ma tête ; j'avais l'impression à tout moment qu'on allait trouver le corps de la Petite Tailleuse gisant au pied d'un rocher, la tête rentrée dans 805 le ventre, avec deux grosses fissures exsangues, fendues jusqu'à son beau front bien dessiné. Le mouvement de mes pas troublait ma tête. Je ne savais quelle motivation me soutenait dans cette course dangereuse. Mon amitié pour Luo ? Mon amour pour son amie ? Ou étais-je un spectateur qui ne voulait pas rater le dénouement

1810 d'une histoire? Je ne comprenais pas pourquoi, mais le souvenir de ce rêve ancien m'obséda tout le long du chemin. Une de mes chaussures craqua.

Après trois ou quatre heures de course, de galop, de trot, de pas, de glissades, de chutes, et même de culbutes, quand je vis apparaître 1815 la silhouette de la Petite Tailleuse, assise sur une pierre surplombant des tombes en forme de bosses, je fus soulagé par le sentiment de voir exorcisé le spectre de mon vieux cauchemar.

Je ralentis le pas, puis je m'effondrai par terre, au bord du sentier, épuisé, le ventre vide et gargouillant, la tête qui tournait 1820 légèrement.

Le décor m'était familier. C'est là que, quelques mois auparavant, j'avais rencontré la mère du Binoclard.

Heureusement, me dis-je, que la Petite Tailleuse avait fait une halte ici. Peut-être avait-elle voulu, au passage, dire adieu à ses ancêtres 1825 maternels. Dieu merci, cela mettait enfin un terme à notre course avant que mon cœur claque ou que je devienne fou.

Je me trouvais à une dizaine de mètres en surplomb, et cette position me permit de regarder de haut leur scène de retrouvailles, qui débuta lorsqu'elle tourna la tête vers Luo qui s'approchait d'elle. 1830 Exactement comme moi, il s'effondra par terre, à bout de forces.

Je ne pouvais en croire mes propres yeux : la scène se figea en une image fixe. La fille en veste d'homme, aux cheveux courts et chaussures blanches, assise sur le rocher, resta immobile, tandis que le garçon, allongé sur le sol, regardait les nuages au-dessus de sa tête. Je 1835 n'avais pas l'impression qu'ils se parlaient. Du moins, je n'entendais rien. J'aurais voulu assister à une scène violente, avec des cris, des accusations, des explications, des pleurs, des insultes, mais rien. Le silence. Sans la fumée de cigarette qui sortait de la bouche de Luo, j'aurais pu croire qu'ils s'étaient transformés en statues de pierre.

1840 Bien que, dans de telles circonstances, la fureur ou le silence reviennent de toute façon au même, et qu'il soit difficile de comparer deux styles d'accusation dont l'impact est différent, Luo se trompa peut-être de stratégie, ou se résigna trop tôt à l'impuissance des mots.

Sous une arête rocheuse en saillie, j'allumai un feu avec des

345 branches d'arbre et des feuilles sèches. Du petit sac que j'avais emporté avec moi, je sortis quelques patates douces, et les enfouis dans la cendre.

Secrètement, et pour la première fois, j'en voulus à la Petite Tailleuse. Bien que me bornant à mon rôle de spectateur, je me 350 sentais autant trahi que Luo, non pas par son départ, mais par le fait que j'en avais été ignorant, comme si toute la complicité qui avait été la nôtre pendant son avortement était effacée de sa mémoire et que, pour elle, je n'avais été et ne serais jamais qu'un ami de son ami.

Du bout d'une branche, je piquai une patate douce dans le tas 355 fumant, la tapotai, soufflai dessus, et en ôtai la terre et la cendre. Soudain, d'en bas, me parvint enfin un bourdonnement de phrases prononcées par les bouches des deux statues. Ils parlaient à voix très basse mais énervée. J'entendis vaguement le nom de Balzac, et me demandai ce qu'il avait à voir avec cette histoire.

360 À l'instant où je me réjouissais de l'interruption du silence, l'image fixe commença à bouger : Luo se redressa et elle descendit d'un bond de son rocher. Mais au lieu de se jeter dans les bras de son amant désespéré, elle prit son baluchon et partit, d'un pas déterminé.

365 – Attends, criai-je en brandissant la patate douce. Viens manger une patate ! C'est pour toi que je les ai préparées.

Mon premier cri la fit courir sur le sentier, mon deuxième la propulsa encore plus loin, et mon troisième la transforma en un oiseau qui s'envola sans s'accorder un instant de répit, devint de 370 plus en plus petit, et disparut.

Luo me rejoignit à côté du feu. Il s'assit, pâle, sans une plainte, ni une protestation. C'était quelques heures avant la folie de l'auto-dafé.

– Elle est partie, lui dis-je.

375 – Elle veut aller dans une grande ville, me dit-il. Elle m'a parlé de Balzac.

– Et alors ?

– Elle m'a dit que Balzac lui a fait comprendre une chose : la beauté d'une femme est un trésor qui n'a pas de prix.

Pour comprendre l'essentiel

Une parenthèse dans la narration et l'action

1 La composition du dernier chapitre comporte une particularité narrative. Repérez les trois épisodes où le narrateur cède la parole à d'autres personnages en soulignant leur point commun.

2 L'épisode de la baie isolée (les trois « dits », p. 122-130) peut être qualifié de parenthèse paradisiaque. Expliquez pourquoi.

3 Dans cet épisode, la Petite Tailleuse fait l'objet de plusieurs comparaisons (hirondelle, dauphin, fruit, flèche). Relevez ces comparaisons et explicitez leur sens.

L'emprise du pouvoir communiste

4 Dans ce chapitre, le pouvoir communiste est décrit comme exerçant une violente emprise sur les individus. Relevez différents éléments prouvant qu'il cherche à contrôler tant les esprits que les corps.

5 Ce chapitre souligne également des résistances à ce pouvoir. Dites quels personnages se soumettent à cette emprise et quels personnages lui résistent.

6 La séance de soins dentaires (p. 118-121) est assez spectaculaire. Dites sur quel renversement elle repose.

L'émancipation de la Petite Tailleuse

7 On peut lire ce chapitre comme une réécriture du mythe de Pygmalion. Renseignez-vous sur ce mythe et expliquez en quoi il peut éclairer l'ensemble du roman.

8 Dans ce chapitre, la Petite Tailleuse passe progressivement du statut d'objet à celui de sujet. Montrez comment elle devient peu à peu maîtresse de ses choix et relevez des indices qui pouvaient annoncer ce dénouement pourtant inattendu.

9 La dernière phrase du roman peut sembler énigmatique. Dites comment vous la comprenez.

Rappelez-vous !

• **Le troisième et dernier chapitre du roman réserve bien des surprises au lecteur**, tant du point de vue de l'action que du point de vue de la narration. La lecture des livres de la valise bouleverse l'existence des trois protagonistes. Leur effet dépasse même ce qu'ils avaient pu imaginer. Luo voulait en effet « transformer la Petite Tailleuse » mais la littérature parvient à faire bien plus que cela : elle l'émancipe, comme le suggère la **chute très inattendue du roman**.

• Mais ce chapitre nous surprend aussi par des **procédés narratifs particuliers** : le récit ne suit pas toujours l'ordre chronologique des événements (l'autodafé est décrit avant la scène de la fuite de la jeune fille), introduit une **dimension fantastique** absente des précédents chapitres (importance des rêves, place étrange des corbeaux) et surtout, comporte une sorte de **pause polyphonique*** et poétique entièrement consacrée à l'épisode de la cascade.

Vers l'oral du Bac

Analyse des pages 147 à 148, lignes 1463 à 1508

☛ Montrer comment ce texte mêle pathétique et humour grinçant

Conseils pour la lecture à voix haute

Préparez une lecture vivante, qui distingue passages narratifs et dialogues, et qui soit la preuve que vous saisissez l'humour du texte.

Analyse du texte

▉ *Introduction rédigée*

Dans la dernière partie du roman de Dai Sijie, la Petite Tailleuse découvre qu'elle est enceinte, véritable délit dans un pays qui interdit les grossesses hors mariage. Le narrateur se lance donc à la recherche d'un médecin qui accepterait de pratiquer un avortement clandestin, ce qui l'amène à assister aux derniers instants d'un pasteur. Cet homme, à qui le régime avait interdit d'exercer ses fonctions, s'est en outre vu condamné à balayer les rues de la ville parce qu'il possédait une Bible en latin. Le récit de sa mort mêle, au registre pathétique attendu, une dimension plus étonnante : un humour grinçant et critique.

▉ *Analyse guidée*

I. Une scène pathétique

a. L'heure est grave pour la famille du pasteur. Montrez que le narrateur, en quelques touches, parvient à brosser une scène par définition pathétique.

b. Certains éléments renforcent cette dimension pathétique. Faites-en le relevé dans l'ensemble de l'extrait.

c. La scène parvient à créer une sorte de suspense. Dites sur quel enjeu ce suspense repose et comment il est maintenu jusqu'à la fin du texte.

II. Un humour grinçant

a. L'apparition d'un objet peut surprendre dans cette scène. Précisez lequel et montrez qu'il contribue à rompre le pathétique de la situation.

b. Le narrateur nous met sur une fausse piste à propos des intentions des fils du pasteur. Montrez-le et expliquez en quoi leur intention réelle est à la fois comique et tragique.

c. Les dernières paroles du pasteur sont «une prière en latin». Dites en quoi elles déçoivent les attentes de ses fils et commentez la dernière réplique de sa femme.

■ *Conclusion rédigée*

Ce texte parvient à nous faire sentir l'absurdité d'un système politique qui entend contrôler « les cerveaux », pour reprendre un terme employé par l'un des fils du pasteur. L'irruption de l'idéologie dans cette scène, qui devrait n'être qu'intime et pathétique, la fait basculer dans une sorte de comique grinçant. C'est que le système semble être parvenu à dénaturer l'amour filial... Un père qui meurt entre deux enfants ingrats : cela nous met sur une autre piste encore. Dai Sijie se rappelle sans doute ici la mort du père Goriot. On peut donc lire aussi ce texte comme un hommage en forme de réécriture de cette célèbre scène balzacienne.

Les trois questions de l'examinateur

Question 1. Cette scène n'a aucune utilité narrative : elle ne fait pas véritablement progresser l'action. Quelle est sa fonction ?

Question 2. Quels sont les autres épisodes du roman qui prouvent l'emprise du pouvoir sur les individus ?

Question 3. Peut-on établir d'autres rapprochements entre ce roman et *Le Père Goriot* de Balzac ?

Le tour de l'œuvre en 7 fiches

Sommaire

Fiche 1   Dai Sijie en 14 dates   165

Fiche 2   L'œuvre dans son contexte   166

Fiche 3   La structure de l'œuvre   168

Fiche 4   Les grands thèmes de l'œuvre   170

Fiche 5   Le roman et ses personnages   172

Fiche 6   Un roman d'éducation
          aux registres variés   174

Fiche 7   Citations   176

Fiche 1

Dai Sijie en 14 dates

1954	Naissance de Dai Sijie dans la province de Fujian. Ses parents sont médecins. Il suit sa scolarité à l'école primaire et au collège.
1971	Comme des millions d'autres Chinois, il est envoyé en **rééducation** dans un village de montagne de la province de Sichuan.
1974	Fin de la rééducation. Dai Sijie travaille comme employé dans un lycée.
1976	Il commence des **études d'histoire de l'art** à l'Université de Pékin et étudie le français.
1984	Ayant remporté un concours national permettant à des étudiants de se rendre à l'étranger, Dai Sijie arrive à **Paris**. Il y suit des études de cinéma à l'IDHEC (Institut des Hautes Études Cinématographiques). Il vit désormais en France.
1989	*Chine, ma douleur*, le **premier long métrage** de Dai Sijie, est présenté à la Quinzaine des réalisateurs du Festival de Cannes (prix Jean Vigo).
1994	*Le Mangeur de lune* (deuxième long métrage).
1998	*Tang le onzième* (troisième long métrage).
2000	***Balzac et la Petite Tailleuse chinoise*, premier roman** de Dai Sijie, écrit directement en français. Chaleureuse présentation au cours d'une émission de «Bouillon de culture»; immense succès, nombreux prix littéraires.
2002	*Balzac et la Petite Tailleuse chinoise*, film réalisé par Dai Sijie.
2003	*Le Complexe de Di*, deuxième roman (prix Fémina).
2006	Sortie de *Les Filles du botaniste* (cinquième long métrage).
2007	*Par une nuit où la lune ne s'est pas levée* (troisième roman).
2009	*L'Acrobatie aérienne de Confucius* (quatrième roman).

Fiche 2

L'œuvre dans son contexte

Le contexte historique

1er octobre 1949 : après une période de grande instabilité politique et de guerre civile permanente, **la République populaire de chine est proclamée par Mao Zedong**. Son premier but est d'étendre la révolution à l'ensemble du pays (qui compte alors 500 millions d'habitants). Il prend pour cela des mesures qui vont dans le sens d'une plus grande justice sociale : abolition du pouvoir des anciens propriétaires fonciers, développement de l'agriculture et de l'industrie, élévation du niveau d'éducation et de santé... Mais il provoque aussi des accès de violence et instaure une sévère répression à l'encontre des potentiels « ennemis de la révolution ». Des millions de personnes perdent la vie – des millions d'autres sont envoyées dans des camps de « rééducation par le travail ».

Après l'échec du « **Grand Bond en avant** » (politique de modernisation ambitieuse du pays qui a abouti à une terrible famine de 1959 à 1961), Mao doit abandonner la présidence de la République mais entreprend de reconquérir le pouvoir au sein du Parti communiste en lançant, en 1966, une « **Grande Révolution culturelle** ». Il commence par fermer, pour plusieurs années, écoles et universités, accusées d'être le lieu d'un enseignement contre-révolutionnaire. Des brigades de jeunes gens âgés de quinze à dix-neuf ans sont alors créées : les Gardes rouges, chargés de traquer les ennemis de la Révolution. Cette traque est fatale à de nombreux cadres du Parti, mais surtout à la quasi-totalité des intellectuels et des artistes, qui sont battus, déportés ou massacrés. 19 millions de jeunes gens, dont le tort est d'avoir étudié à l'école ou pire, à l'université, ou d'avoir des parents « anticommunistes » sont envoyés à la campagne pour s'y rééduquer par le travail physique ou manuel (voir la photographie de Marc Riboud reproduite en début d'ouvrage, au verso de la couverture). La Révolution culturelle dure dix ans et s'achève avec la **mort de celui qu'on appelait le « Grand Timonier », le 9 septembre 1976**.

S'ouvre alors une période de « **démaoïsation** » du communisme chinois. L'idéologie communiste n'est jamais remise en cause mais le pays se lance sur la voie d'une **modernisation économique** et d'un certain libéralisme culturel, non sans parfois marquer de brusques revirements conservateurs (ainsi la répression des étudiants occupant la place Tian'anmen en juin 1989).

Ces dernières années, l'œuvre de libéralisation économique, politique et sociale s'est nettement accélérée et la Chine est devenue une puissance économique majeure de la scène mondiale. Les jeux olympiques de Pékin de l'été 2008 sont devenus le symbole d'échanges internationaux très intenses sur bien des plans.

L'inspiration autobiographique

La vie de Dai Sijie a été marquée par le sombre épisode de la Révolution culturelle qui constitue la toile de fond de *Balzac et la Petite Tailleuse chinoise*.

On peut du reste noter **plusieurs points communs** entre les deux héros masculins du roman et l'auteur : comme eux, Dai Sijie est fils de médecins ; comme eux, il fréquente l'école primaire et le collège avant d'être envoyé en rééducation dans un village de montagne, de 1971 à 1976. Il reconnaît d'ailleurs volontiers avoir beaucoup emprunté à ses trois années de rééducation pour composer son premier roman : ainsi l'épisode de la sonate « Mozart pense au président Mao » s'est-il en effet produit ; ainsi le personnage de Luo ou de la petite tailleuse sont-ils inspirés de jeunes gens avec qui l'auteur s'était réellement lié – et avec qui il avait bel et bien dérobé une valise secrète remplie de livres interdits. Pour autant, *Balzac et la Petite Tailleuse chinoise* n'est pas un récit autobiographique car ces personnes et ces situations réelles, Dai Sijie les a fondues à son imaginaire pour composer un roman.

Fiche 3

La structure de l'œuvre

Chapitre et longueur	Temps et durée de l'action	Premier et dernier événement du chapitre	Enjeu principal du chapitre
1er chapitre p. 9 à 40 (32 pages)	De début 1971 à juillet 1972 (1 an et demi)	De l'arrivée au village à la veillée de Luo atteint de paludisme	Comment les deux garçons peuvent-ils rendre supportable leur vie en rééducation ?
2e chapitre p. 47 à 95 (49 pages)	De juillet 1972 au 3 septembre 1973 (14 mois)	De la découverte au vol de la valise	Comment les trois héros peuvent-ils s'emparer du contenu de la valise ?
3e chapitre p. 101 à 159 (59 pages)	De septembre 1973 à février 1974 (6 mois)	De la découverte des livres au départ de la Petite Tailleuse.	Comment la Petite Tailleuse va-t-elle réussir à s'émanciper ?

Un rythme* qui ralentit

Le tableau ci-dessus montre que le rythme* du récit tend à ralentir sur l'ensemble du roman. Les chapitres sont en effet de plus en plus longs alors que la durée couverte par l'action est de plus en plus courte.

Le schéma actantiel

Rappelons que le schéma actantiel permet, dans l'analyse d'un récit, de dégager ce qui fait avancer l'action : La configuration des forces agissantes, qui fait progresser le récit, peut être représentée par le schéma suivant :

```
Destinateur    Objet    Destinataire
           ↘    ↑    ↗
   Adjuvant  ←  Sujet  →  Opposant
```

Le **destinateur** est ce qui pousse un **sujet** à entreprendre une quête pour obtenir un **objet**. La conquête de cet objet profite au **destinataire** (qui peut être le sujet lui-même). Les **adjuvants** aident le sujet et les **opposants** lui font obstacle.

Schéma du premier chapitre

Pulsion de vie	La vie la moins désagréable possible	Les deux garçons
↘	↑	↗
La Petite Tailleuse	← Les deux garçons →	Le chef du village et les corvées

Schéma du deuxième chapitre

La curiosité des trois jeunes gens	La valise	Les trois jeunes gens
↘	↑	↗
La Petite Tailleuse	← Les deux garçons →	Le Binoclard et sa mère

Schéma du troisième chapitre

• Une fois la valise obtenue, la Petite Tailleuse se retrouve au centre de l'action puisqu'elle devient l'objet du désir de Luo.

Amour et désir de Pygmalion*	La Petite Tailleuse	Luo
↘	↑	↗
Le narrateur	← Luo →	Autorités qui interdisent aussi bien les livres que l'amour

• Luo, en partant et en confiant la Petite Tailleuse à son ami, modifie le schéma.

	Luo La Petite Tailleuse Les deux garçons	
	↘ ↑ ↗	
Le père de la Tailleuse Le médecin	← Le narrateur →	Les autres garçons du village La loi absurde

• Mais la Petite Tailleuse réussit une sorte de tour de force en renversant le schéma : d'objet, elle devient sujet dans la dernière partie du chapitre.

Balzac	Conquête de son destin	La Petite Tailleuse
↘	↑	↗
Balzac	← La Petite Tailleuse →	Son père, Luo et le narrateur

Ces modifications du schéma tout au long du récit correspondent à des situations qui évoluent sous l'action des héros mais aussi à la transformation des trois jeunes gens, voire à la métamorphose du personnage-titre.

Les grands thèmes de l'œuvre

L'emprise d'un pouvoir totalitaire et arbitraire

Balzac et la Petite Tailleuse chinoise n'est pas à proprement parler un roman engagé, visant à dénoncer un système politique. Il se déroule cependant durant **la Révolution culturelle** et illustre de multiples aspects de l'une des périodes les plus sombres de l'histoire chinoise. La situation initiale même est provoquée par une mesure radicale prise par Mao Zedong : l'envoi de millions d'intellectuels (ou prétendus tels) dans les campagnes pour y subir une **rééducation par le travail**. On retrouve ici l'une des constantes de tout régime dictatorial : la défiance à l'égard des intellectuels qui, par nature, aspirent à une pensée libre et critique, ennemie de toute idéologie totalitaire. La Révolution culturelle chinoise a poussé à son point le plus radical cette défiance en interdisant à peu près tous les livres à la population dans le but de produire des individus incapables de penser en dehors de références communistes. Plusieurs scènes témoignent de ce **contrôle des esprits** : la séance de dénonciation publique du père de Luo par exemple (p. 15), ou la mort du pasteur coupable d'avoir conservé une Bible en latin (p. 148).

Mais le roman de Dai Sijie nous prouve que **les corps aussi sont contrôlés**, jusque dans leur intimité puisqu'on apprend que les ébats amoureux de Luo et de la Petite Tailleuse pourraient leur valoir « des ennuis avec le bureau de la Sécurité publique » (p. 124). La grossesse de la jeune fille place les personnages face à l'absurdité d'une loi qui ignore les plus élémentaires réalités humaines puisqu'elle interdit à la fois les mariages avant l'âge de vingt-cinq ans, les naissances hors mariage et les avortements ! C'est donc la grossesse elle-même qui, au regard de cette loi kafkaïenne*, devient un véritable délit. Inévitablement, ces interdits suscitent des **résistances** : une cascade isolée et paradisiaque, la coquetterie des femmes, une séance de soins dentaires qui se transforme en revanche sur l'oppresseur... et surtout la lecture des livres interdits.

Le pouvoir de la littérature

Un livre sur les livres : voilà sans doute ce qu'est avant tout *Balzac et la Petite Tailleuse chinoise*. Joli paradoxe pour un roman qui se situe à une époque qui interdit tous les livres ou presque. Prohibé ou brûlé en public, rêvé ou imaginé, donné ou volé, lu ou recopié : le roman de Dai Sijie semble mettre en scène **le livre dans toutes ses dimensions**, le dotant ainsi d'une puissance à la fois mystérieuse et concrète, spirituelle et sensuelle. C'est sans doute cette puissance qui en fait un objet si subversif dans les systèmes totalitaires. Continuer à lire ou à écrire dans de tels régimes constitue donc un véritable acte de **résistance politique** : qu'on songe à la mère du Binoclard qui « compose des poèmes dans (sa) tête, tout en faisant du tricot » (p. 80).

Mais la littérature est aussi **ouverture à la vie**, comme le prouve l'épisode de la découverte du premier livre de Balzac, dévoré en l'espace d'une nuit par Luo et d'une journée par son ami à qui l'histoire d'Ursule paraît «aussi vraie que celle de [ses] voisins» (p. 57). C'est ici du beau **pouvoir de la vérité fictionnelle** qu'il est question : à travers une histoire inventée, la littérature peut toucher à la vérité des questions et des émotions humaines et atteindre un réalisme qui va bien au-delà de la vraisemblance. Luo abolit d'ailleurs de manière plus radicale encore les frontières entre la fiction et la vie, l'imaginaire et le réel puisque, parti pour raconter à la Petite Tailleuse l'histoire d'amour d'Ursule Mirouët, il lui fait finalement l'amour sous le feuillage d'un gingko.

La littérature, loin d'être une rêverie qui nous éloigne du réel, est donc dotée de l'immense **pouvoir de transformer la vie**. Le narrateur l'affirme lui-même à propos de *Jean-Christophe*, de Romain Rolland : «C'était pour moi le livre rêvé : une fois que vous l'aviez fini, ni votre sacrée vie ni votre sacré monde n'étaient plus les mêmes qu'avant» (p. 102). Ce pouvoir de transformation est le cœur même du roman de Dai Sijie : il nous raconte en effet comment trois jeunes gens voient leur vie bouleversée par la lecture d'œuvres occidentales, la transformation la plus radicale affectant le personnage-titre du roman.

Un Pygmalion dépassé

«Avec ces livres, je vais transformer la Petite Tailleuse. Elle ne sera plus jamais une simple montagnarde» (p. 91) annonce Luo qui avait d'abord jugé la jeune fille insuffisamment «civilisée» pour lui. On pense évidemment ici au mythe de Pygmalion*. De fait, la jeune fille devient vite **l'objet de tous les désirs** et de tous les soins de Luo et de son ami. Elle n'est pas seulement l'amoureuse de Luo, elle est aussi son élève, celle à qui il va faire des séances de lecture, bravant pour cela les interdits et son vertige. Et lorsqu'il s'absente, c'est le narrateur qui prend le relais pour se faire le garde du corps, le lecteur, le cuisinier et même la lavandière de la jeune fille. Tant d'attentions et de soins font de la Petite Tailleuse une véritable princesse – mais ils ne sont pas sans ambiguïtés car ils sont aussi une manière de surveillance et d'emprise exercées sur elle.

Dans la dernière section du roman, celle qui, si longtemps, a été l'objet de tant d'attentions et de désirs, **se transforme brutalement en sujet**, partant à la conquête de son destin à la manière d'un Rastignac*. Luo avait sous-estimé les talents de sa jeune amie et la puissance de la littérature qui la transforme en héroïne balzacienne. En somme, les leçons de Luo ont abouti au plus haut degré d'achèvement de l'éducation : **l'émancipation**.

On comprend dès lors le **dépit** du jeune homme : dépit d'amoureux éconduit mais aussi d'artiste dépossédé de son œuvre. D'où la scène étrange et presque fantasmagorique de l'autodafé* final : Luo brûle les livres qu'il a pourtant tellement aimés mais qui furent les instruments de la libération de la Petite Tailleuse.

Le roman et ses personnages

Un monde figé

Le roman de Dai Sijie ne prétend pas donner une image complète et détaillée de la **Chine de la Révolution culturelle**. Il nous permet cependant de saisir quelques traits de **la vie dans une zone rurale** à cette époque : alliance paradoxale de l'idéologie communiste et de croyances magiques (les sorcières, le sang du bœuf comme remède contre la lâcheté), ignorance d'une grande partie de la population (le vieux meunier, le chef du village), conditions de vie contrastées (le père de la Petite Tailleuse, plutôt privilégié d'un côté, le pasteur déchu et humilié de l'autre), volonté de contrôle de la population et en même temps, espaces de liberté autorisés ou clandestins (la mode, la lecture). Le monde qui apparaît dans le roman semble **figé par des lois arbitraires et absurdes**.

Trois personnages en construction

Les trois personnages principaux de ce roman sont, eux, saisis d'une **manière dynamique**. Tous trois ne sont plus les mêmes à la fin du récit. On l'a vu à propos de la Petite Tailleuse mais cela vaut pour Luo et son ami également. L'épreuve de la rééducation et celle de l'amour les transforment en effet, comme nous l'étudierons dans la fiche suivante.

Mais peut-être est-il temps de s'arrêter sur le personnage le moins apparemment construit du récit : celui du **narrateur**. De lui, nous n'avons qu'une sorte de **portrait en creux**, un portrait que nous avons à charge de construire car nous n'avons au fond que peu d'informations objectives à son propos. Nous ignorons jusqu'à son nom et à son apparence physique mais il est à la fois le regard qui perçoit les événements, la voix qui porte le récit et l'un des personnages impliqués dans l'action rapportée. En tant que personnage, il est vrai qu'il apparaît souvent comme en retrait par rapport à Luo : moins audacieux que son ami, il n'hésite cependant pas à le seconder dans ses entreprises. Ses **sentiments** à l'égard de la Petite Tailleuse sont **ambigus** : si Luo devient l'éducateur et l'amant de la jeune fille et que le narrateur est le spectateur de cette liaison, il n'en éprouve pas moins pour elle bien plus que de l'amitié. La première description qu'il en donne laisse deviner son regard charmé et toute la suite du récit confirme des sentiments et des désirs amoureux, sa posture oscillant entre rêveries érotiques et amour chevaleresque et platonique.

Lors de l'absence de Luo, au troisième chapitre, le narrateur passe au premier plan de l'action, grâce à son intimité avec la Petite Tailleuse mais aussi grâce à ses **talents de conteur**. Dans ce domaine en effet, il semble finir par dépasser Luo dont il avait pourtant souligné le génie au début du roman – car il prend des libertés par rapport au texte, ajoutant « des petites choses à droite à gauche, disons des petites touches personnelles » (p. 133), inventant des « situations » ou introduisant « l'épisode d'un autre roman quand [il trouve] que le vieux Balzac [est] fatigué ». Peu à peu, il recrée donc les histoires qu'il lit à la jeune fille. « À présent, [...] tu fais mieux que moi. Tu aurais dû être écrivain » (p. 114), lui affirme du reste Luo. On peut donc aussi lire ce roman comme la **naissance d'une vocation littéraire**, et ce d'autant plus que la voix du narrateur, lorsque des années plus tard il raconte cet épisode de sa vie, est pleine d'assurance et de vivacité – bien plus que ne le sont ses répliques de personnage dans le récit. On le voit : à l'image de la Petite Tailleuse, il est au fond un personnage placé entre les contraintes de l'Histoire et un destin à conquérir.

Réécritures balzaciennes

Ode au pouvoir de la littérature en général, le roman de Dai Sijie rend plus particulièrement **hommage à Balzac** : non seulement l'auteur de *La Comédie humaine* figure dans le titre mais il est aussi celui qui procure leur première émotion littéraire aux trois jeunes gens – *Ursule Mirouët* est pourtant loin d'être le récit le plus célèbre et le plus célébré de Balzac. Mais il n'empêche, la magie opère, au point de transformer trois jeunes gens. Il faut noter que *Balzac et la Petite Tailleuse chinoise* adresse une autre forme d'hommage au grand romancier français : le roman en effet, procède à des **réécritures de scènes célèbres**.

Ainsi la mort du pasteur à l'hôpital, entouré de deux fils inattentifs et presque ingrats, peut-elle rappeler la **mort du père Goriot** – mais à la différence du texte balzacien, le registre pathétique est comme perturbé par un humour grinçant. Cependant la scène la plus spectaculaire à cet égard est évidemment la dernière du roman. La Petite Tailleuse s'élançant à la conquête de la ville et d'un nouveau destin fait écho à une autre dernière scène de roman, célèbre entre toutes, celle du *Père Goriot*, encore : le jeune **Rastignac**, au terme de son apprentissage social et amoureux, défie Paris du haut du cimetière du Père Lachaise, s'écriant : « À nous deux maintenant ». L'hommage à Balzac est donc rendu depuis le titre du roman jusqu'à ses derniers mots.

Un roman d'éducation aux registres variés

Un récit d'apprentissage

Nous l'avons vu : le récit de Dai Sijie comporte nombre d'éléments historiques et, plus encore, autobiographiques. Nous pourrions ajouter qu'il adopte volontiers le ton et l'allure tantôt d'un roman d'amour, tantôt d'un roman d'aventures ou à suspense. Reste que *Balzac et la Petite Tailleuse chinoise* s'inscrit pour l'essentiel dans la grande tradition du **récit d'apprentissage ou d'éducation***... ce qui n'est pas sans ironie si l'on songe que les deux jeunes gens sont envoyés à la campagne pour y faire leur **rééducation**. À l'issue de leurs mésaventures, s'il est rien moins que garanti qu'ils soient devenus de parfaits partisans et défenseurs du régime communiste et de Mao, il est en revanche certain qu'ils ont été initiés à différents mystères de la vie et qu'ils ont définitivement quitté l'enfance.

Les différentes épreuves qu'ils ont traversées, soit qu'ils y aient été contraints (le travail à la mine, la maladie), soit qu'ils les aient choisies (la visite au vieux meunier de la montagne, le vol de la valise), ont contribué à les conduire au seuil de l'âge adulte, de même que **l'expérience de l'amour**. En effet, si seul Luo devient l'amant de la Petite Tailleuse, nous avons vu que le narrateur n'en était sans doute pas moins amoureux. Tous deux, donc, font l'épreuve du sentiment et du désir amoureux sans lesquels il n'y a sans doute pas de récit d'éducation accompli.

L'idée centrale du roman demeure cependant que **les livres sont une véritable éducation à la vie**, comme nous l'avons montré dans la fiche consacrée aux grands thèmes de l'œuvre (p. 170). Les romans occidentaux interdits que les jeunes gens dévorent en cachette les ouvrent donc non seulement aux mystères de la féminité et de l'amour mais aussi à l'idée qu'il est possible d'inventer son propre destin, à l'image du Jean-Christophe de Romain Rolland ou même du comte de Monte-Cristo de Dumas. Et c'est là que surgit la seconde ironie de l'affaire ! Car nos deux jeunes rééduqués, qui avaient eux-mêmes entrepris de faire l'éducation de la Petite Tailleuse pour la « transformer » et la rendre plus « civilisée », reçoivent d'elle leur **dernière et plus magistrale leçon**. La jeune fille se révèle avoir été une élève encore plus attentive et réceptive qu'ils n'avaient pu l'espérer. Elle devient à son tour un véritable personnage balzacien, leur prouvant que si les romans peuvent changer la vie, c'est pour de bon et pas seulement dans les rêveries d'adolescents amoureux. Ultime leçon de détermination et de littérature appliquée !

Une grande variété de registres*

Au roman d'éducation, genre classique revisité ici par l'ironie et contaminé par d'autres genres, correspond une étonnante variété de registres, avec une très nette prédominance des registres qualifiés de plaisants. Cela ne signifie pas, du reste, que le roman de Dai Sijie se prive de faire appel aux **registres dits sérieux**. Ainsi le texte se fait-il **didactique** pour expliquer ce que fut la Révolution culturelle ou la rééducation ; **pathétique** dans l'épisode de la mine ou de la mort du pasteur à l'hôpital ; **lyrique** dans maintes évocations des livres ou de la Petite Tailleuse ; **élégiaque**, même, fugitivement, lorsque le narrateur évoque un passé où la lecture n'était pas un acte illicite ; **épique** presque lorsque sont décrits les exploits de Luo surmontant son vertige pour s'acquitter de sa mission auprès de sa jeune amie.

Mais **ce sont les registres plaisants qui dominent**. Dai Sijie décline en effet toutes les formes du **comique** : **humour** d'une sonate rebaptisée *Mozart pense au président Mao*, **burlesque** d'une séance de soins dentaires qui se transforme en séance de torture, épisode **héroï-comique** du vieux de la Montagne, évocation **satirique** d'un chef de village aussi autoritaire qu'inculte. Situation, geste, parole ou caractère sont la source de nombreux effets comiques dans le roman : qu'on relise l'épisode du vieux de la montagne et on trouvera tous ces procédés concentrés en quelques pages Le narrateur n'hésite pas, même, à une ou deux reprises, à recourir à une forme de comique scatologique (la peu glorieuse sortie du Binoclard).

Si Dai Sijie semble refuser de se limiter à un seul registre, il faut en outre noter qu'il passe librement de l'un à l'autre et introduit souvent une note comique dans un passage lyrique ou pathétique. Ainsi, lorsque le narrateur évoque avec émotion sa découverte émerveillée de Balzac, ironise-t-il sur sa propre situation de « jeune puceau de dix-neuf ans, qui somnolait encore dans les limbes de l'adolescence » (p. 57). Nous pourrions multiplier les exemples de ce type qui expliquent sans doute en grande partie l'immense succès remporté par ce premier roman lors de sa parution, et confirmé depuis.

La narration d'un conteur

Variété des registres, jeu avec le genre mais aussi avec la langue (car le texte, globalement soutenu, se fait volontiers courant, voire familier), récit chronologique mais qui s'autorise quelques prolepses* et analepses* : la narration est structurée et claire mais aussi libre et surprenante. Elle n'est d'ailleurs pas sans rappeler une forme orale. N'oublions pas que le **narrateur** est un **conteur**, et un conteur qui, dans le troisième chapitre du roman, semble même surpasser le « conteur de génie » qu'est pourtant Luo. Ce **talent de conteur** constitue non seulement un des éléments constitutifs de l'intrigue mais aussi **la matière et la manière de la narration**. La voix qui porte *Balzac et la Petite Tailleuse chinoise* n'est sûrement pas l'un des moindres charmes de cette œuvre.

Citations

Balzac et la Petite Tailleuse chinoise

« – Comment elle s'appelle, ta chanson ?

– Ça ressemble à une chanson, mais c'est une sonate.

– Je te demande son nom ! cria-t-il, en me fixant droit dans les yeux [...].

– *Mozart*..., hésitai-je.

– *Mozart* quoi ?

– *Mozart pense au président Mao.* »

p. 11.

« À l'époque, tous les livres étaient interdits, à l'exception de ceux de Mao et de ses partisans, et des ouvrages purement scientifiques. »

p. 51.

« Souvent, après minuit, on éteignait la lampe à pétrole dans notre maison sur pilotis, et on s'allongeait chacun sur son lit pour fumer dans le noir. Des titres de livres fusaient de nos bouches, il y avait dans ces noms des mondes inconnus, quelque chose de mystérieux et d'exquis dans la résonance des mots, dans l'ordre des caractères, à la manière de l'encens tibétain. »

p. 51-52.

« À l'âge où nous avions enfin su lire couramment, il n'y avait déjà plus rien à lire. »

p. 52.

« Avec ces livres, je vais transformer la Petite Tailleuse. Elle ne sera plus jamais une simple montagnarde. »

p. 91.

« *Jean-Christophe* [de Romain Rolland], avec son individualisme acharné, sans aucune mesquinerie, fut pour moi une révélation salutaire. Sans lui, je ne serais jamais parvenu à comprendre la splendeur et l'ampleur de l'individualisme. Jusqu'à cette rencontre volée avec *Jean-Christophe*, ma pauvre tête éduquée et rééduquée ignorait tout simplement qu'on pût lutter seul contre le monde entier [...]. C'était pour moi le livre rêvé : une fois que vous l'aviez fini, ni votre sacrée vie ni votre sacré monde n'étaient plus les mêmes qu'avant. »

p. 102.

« Je n'allais tout de même pas mourir avant d'avoir connu l'amour, le sexe, la lutte individuelle contre le monde entier. »

p. 105.

« Mon premier cri la fit courir sur le sentier, mon deuxième la propulsa encore plus loin, et mon troisième la transforma en un oiseau qui s'envola sans s'accorder un instant de répit, devint de plus en plus petit, et disparut. »

p. 159.

À propos de *Balzac et la Petite Tailleuse chinoise*

« Si ce livre ne devient pas un best-seller, cette émission ne sert à rien ! »

Bernard Pivot sur le plateau de son émission « Bouillon de culture »,
21 janvier 2000.

« C'est une merveille absolue. »

Daniel Pennac à propos du roman de Dai Sijie
sur le plateau de l'émission « Bouillon de culture »,
21 janvier 2000.

Groupements de textes

Lire, grandir : une aventure

Victor Hugo, *Les Contemplations*

Les Contemplations sont l'une des plus grandes œuvres poétiques du XIXᵉ siècle. «Mémoires d'une âme» selon Victor Hugo (1802-1885), ces poèmes sont souvent l'occasion d'une sorte d'autobiographie poétique.

AUX FEUILLANTINES

Mes deux frères et moi, nous étions tout enfants.
Notre mère disait : «Jouez, mais je défends
Qu'on marche dans les fleurs et qu'on monte aux échelles».

Abel était l'aîné, j'étais le plus petit.
Nous mangions notre pain de si bon appétit,
Que les femmes riaient quand nous passions près d'elles.

Nous montions pour jouer au grenier du couvent.
Et là, tout en jouant, nous regardions souvent
Sur le haut d'une armoire un livre inaccessible.

Nous grimpâmes un jour jusqu'à ce livre noir ;
Je ne sais pas comment nous fîmes pour l'avoir,
Mais je me souviens bien que c'était une Bible.

Ce vieux livre sentait une odeur d'encensoir.
Nous allâmes ravis dans un coin nous asseoir.
Des estampes partout ! quel bonheur ! quel délire !

Nous l'ouvrîmes alors tout grand sur nos genoux,
Et, dès le premier mot, il nous parut si doux
Qu'oubliant de jouer, nous nous mîmes à lire.

Nous lûmes tous les trois ainsi tout le matin,
Joseph, Ruth et Booz, le bon Samaritain,
Et, toujours plus charmés, le soir nous le relûmes.

Tels des enfants, s'ils ont pris un oiseau des cieux,
S'appellent en riant et s'étonnent, joyeux,
De sentir dans leur main la douceur de ses plumes.

Marine-Terrace, août 1855.

Victor Hugo, *Les Contemplations* [1856], livre cinquième, X, GF-Flammarion, 2008.

Jean-Paul Sartre, *Les Mots*

Les Mots sont un texte autobiographique dans lequel Jean-Paul Sartre (1905-1980) évoque son enfance. Le récit se divise en deux parties « Lire » et « Écrire ».

La bibliothèque ne comprenait guère que les grands classiques de France et d'Allemagne. Il y avait des grammaires, aussi, quelques romans célèbres, les *Contes choisis* de Maupassant, des ouvrages d'art – un *Rubens*, un *Van Dyck*, un *Dürer*, un *Rembrandt* – que les élèves de mon grand-père lui avaient offerts à l'occasion d'un Nouvel An. Maigre univers. Mais le Grand Larousse me tenait lieu de tout : j'en prenais un tome au hasard, derrière le bureau, sur l'avant dernier rayon, A-Belloc, Bello-Ch ou Ci-D, Mele-Po ou Pr-Z (ces associations de syllabes étaient devenues des noms propres qui désignaient les secteurs du savoir universel : il y avait la région Ci-D, la région Pr-Z, avec leur faune et leur flore, leurs villes, leurs grands hommes et leurs batailles) ; je le déposais péniblement sur le sous-main de mon grand-père, je l'ouvrais, j'y dénichais les vrais oiseaux, j'y faisais la chasse aux vrais papillons posés sur de vraies fleurs. Hommes et bêtes étaient là, *en personne*: les gravures, c'étaient leurs corps, le texte, c'était leur âme, leur essence singulière; hors les murs, on rencontrait de vagues ébauches qui s'approchaient plus ou moins des archétypes sans atteindre à leur perfection: au Jardin d'Acclimatation, les singes étaient moins singes, au Jardin du Luxembourg, les hommes étaient moins hommes. Platonicien par état, j'allais du savoir à son objet; je trouvais à l'idée plus de réalité qu'à la chose, parce qu'elle se donnait à moi d'abord et parce qu'elle se donnait comme une chose. C'est dans les livres que j'ai rencontré l'univers: assimilé, classé, étiqueté, pensé, redoutable encore; et j'ai confondu le désordre de mes expériences livresques avec le cours hasardeux des événements réels. De là vint cet idéalisme dont j'ai mis trente ans à me défaire.

Jean-Paul Sartre, Les Mots [1964], Gallimard, «Folio», 1972.

Bernhard Schlink, *Le Liseur*

Ce récit de Bernhard Schlink (né en 1944) commence quand, dans l'Allemagne de l'après-guerre, un garçon de quinze ans, Mickaël, rencontre Hanna, une femme de trente-cinq ans. Ils deviennent amants et un véritable rituel s'instaure entre eux.

C'est que je lui faisais la lecture. Le lendemain de notre conversation, Hanna avait voulu savoir ce que j'apprenais au lycée. Je lui parlais des poèmes homériques, des discours de Cicéron, et de l'histoire d'Hemingway sur le vieil homme et son combat avec le poisson et avec la mer. Elle voulut entendre à quoi ressemblaient le grec et le latin, et je lus à haute voix des passages de *L'Odyssée* et des *Catilinaires*.

« Tu fais aussi de l'allemand ?

– Qu'est-ce que tu veux dire ?

– Tu apprends seulement des langues étrangères, ou bien il reste aussi des choses à apprendre dans sa propre langue ?

– On lit des textes. »

Pendant que j'étais malade, la classe avait étudié deux pièces, une de Lessing *Emilia Galotti* et une de Schiller *Intrigue et Amour*, sur lesquelles nous aurions bientôt une dissertation à faire. Il fallait donc que je lise ces deux textes, ce que je faisais quand le reste de mon travail était fini. Mais c'était en fin de journée, j'étais fatigué, et le lendemain je ne me rappelais plus ce que j'avais lu : il fallait que je recommence.

« Tu n'as qu'à me les lire !

– Lis-les toi-même, je te les apporterai.

– Tu as une si belle voix, garçon, je préfère t'écouter plutôt que de lire moi-même.

– Oh, tu crois ? »

Mais quand j'arrivai le lendemain et voulus l'embrasser, elle se déroba. « Tu me fais d'abord la lecture ».

Elle parlait sérieusement. Je dus lui lire *Emilia Galotti* pendant une demi-heure avant qu'elle m'emmène sous la douche et dans son lit. Désormais, j'étais ravi de la douche. Le désir que j'éprouvais en arrivant était passé en lisant. Lire une pièce de façon que les divers personnages soient reconnaissables et vivants exige une certaine concentration. Sous la douche, le désir revenait. Lecture, douche, faire l'amour et rester encore un moment étendus ensemble, tel était le rituel de nos rendez-vous.

C'était une auditrice attentive. Son rire, ses soupirs de dédain et ses exclamations indignées ou enthousiastes ne laissaient aucun doute : elle suivait l'action avec passion, et considérait les deux héroïnes comme de petites dindes. L'impatience qu'elle mettait parfois à me demander de continuer tenait à ce qu'elle espérait que ces personnages allaient enfin, nécessairement, arrêter leurs bêtises. « Non, mais c'est pas possible ! » Quelquefois, j'avais moi-même très envie de poursuivre la lecture. Quand les jours allongèrent, je lus plus longtemps, pour être au lit avec elle au moment du crépuscule. Lorsqu'elle s'était endormie sur moi, que la scie dans la cour s'était tue, que le merle chantait et que, dans la cuisine, il ne restait plus de la couleur des objets que des tons de gris plus ou moins clairs ou sombres, j'étais parfaitement heureux.

Bientôt, Hanna disparaît. Des années plus tard, Mickaël la retrouve dans des circonstances historiques particulières qui lui font découvrir le secret qu'elle a cherché à dissimuler – et qui éclaire ces séances de lecture d'un jour nouveau.

Bernhard Schlink, *Le Liseur* [1995], trad. de l'allemand par Bernard Lortholary, Gallimard, « Folio », 1999.

Jean-Marie Gourio, *Chut !*

Le narrateur du roman de Jean-Marie Gourio (né en 1956) est un jeune homme qui tombe amoureux d'une jolie bibliothécaire et, pour lui plaire, se met à faire semblant de lire… Évidemment, il va peu à peu se prendre au jeu. Mais cet extrait se situe au début du roman, au moment où le héros n'imagine même pas qu'il puisse lire réellement.

C'était comme ça notre vie à ce moment-là. Une sorte de bonheur total. Le dimanche on restait au lit jusqu'à midi et je posais ma tête sur son ventre pendant que Mathilde lisait à haute voix des romans d'aventures. J'entendais les mots résonner à l'intérieur d'elle et sortir d'elle comme si les aventures racontées s'étaient passées en elle. Plusieurs matinées du dimanche, elle me lut *L'Île au trésor*. Son ventre plein de la mer montait et descendait sous ma joue, j'entendais comme le vent ses respirations transporter les cris des matelots. Mathilde était une houle. Il me suffisait de fermer les yeux pour être sur la mer à bord de l'*Hispaniola*. C'était facile pour moi de voyager sans lire et sans bouger, passager de son ventre, allongé dans le soleil qui venait du toit, le vasistas découpait dans la lumière du dehors un carré qui nous allait juste, qu'il passait autour de nos corps, nus et libres par-dessus les draps […].

Mathilde reprenait tranquillement son livre. Je reprenais tranquillement le mien. Elle lisait. Je faisais semblant de lire. Elle s'intéressait. Je faisais semblant de comprendre. Elle aimait. Je faisais semblant d'apprécier. Ce que j'aimais, c'était elle, à poil, en train de lire ! Elle à poil et ses livres bien couverts ! Quant à la lecture, moi ?

Jean-Marie Gourio, *Chut !*, Julliard, 1998.

François Cheng, *Le Dit de Tianyi*

Ce roman de François Cheng (né en 1929) retrace l'histoire tourmentée de la Chine des années 1920 jusqu'à la Révolution culturelle à travers le destin du narrateur (Tianyi). Cet extrait décrit la fureur de lire qui s'empare de lui et d'un de ses amis dans les années 1940.

Nous nous jetions sur tout ce qui paraissait, poésie et romans, pièces de théâtre et essais, sans négliger aucun auteur, y compris ceux de l'Europe du Nord et de l'Europe centrale. À ce moment-là, j'étais à dix mille lieues de penser que j'aurais plus tard un lien avec la France. Pourtant, deux écrivains français de ce siècle allaient exercer une influence décisive sur nous, comme sur toute la jeunesse chinoise : Romain Rolland et Gide [...]. Nous vivions alors dans le dénuement le plus total. Il y avait les maladies, il y avait les bombardements. Notre vie ne tenait qu'à un fil. Combien pourtant elle était, par l'imagination, imprégnée de saveur. Les jours ensoleillés, invariablement, amenaient l'alerte. Le vrombissement des avions ennemis fonçant vers la capitale semait au passage la mort. Nous n'en avions cure. Tous cours cessant, nous nous réfugiions près des abris creusés à flanc de montagne. C'était l'aubaine pour nous. De longues heures durant, dans la senteur de l'humus et des résines, nous laissions la brise feuilleter les livres que nous tenions dans la main. Nous étions en compagnie de Jean-Christophe, de Prométhée, de l'Enfant prodigue. Nous nous repaissions des *Nourritures terrestres*. Ces œuvres sont-elles le sommet de la littérature ? Cette question nous importait peu. Elles avaient su nous parler directement. L'histoire tumultueuse de Jean-Christophe qui cherche à s'accomplir à travers trois cultures, allemande, française et italienne, avec tous les drames qu'elle comporte nous inspirait, à un moment où nous tous, nous aspirions aux métamorphoses. Nous savions qu'au point où était parvenue la culture chinoise, après son long dialogue avec l'Inde et l'Islam, l'Occident était l'interlocuteur plus qu'essentiel, incontournable. Gide, lui, parle à un Chinois comme ce fils prodigue de retour qui se confie à son jeune frère. Il l'exhorte à puiser en lui-même ses propres ressources, à retrouver la ferveur, à élargir le champ de son désir, à oser s'affranchir de la contrainte forgée par la tradition familiale et sociale, ce dont souffrait justement tout Chinois épris d'idéal dans ce vieux pays en décadence.

François Cheng, *Le Dit de Tianyi*, Albin Michel, 1998.

Amos Oz, *Une histoire d'amour et de ténèbres*

Dans ce roman autobiographique, l'écrivain israélien Amos Oz (né en 1939) mêle l'histoire de ses ascendants au récit de son enfance à Jérusalem, entre deux parents assez pauvres mais passionnés par les livres.

Le plus beau jour de ma vie – je devais avoir six ans – fut celui où papa me fit un peu de place sur l'une de ses étagères pour y ranger mes livres. Disons qu'il me céda quelque trente centimètres représentant le quart du rayonnage du bas. Je réunis tous mes livres qui, jusque-là, s'empilaient sur un tabouret près de mon lit, et les transportai à la bibliothèque paternelle où je les disposai à la verticale, comme il se doit : le dos vers l'extérieur et la tranche contre le mur.

C'était un rite de passage, une cérémonie initiatique : celui dont les livres tiennent debout n'est plus un enfant, c'est déjà un homme. J'étais comme mon père. Mes livres tenaient droit.

J'avais commis une terrible bourde. Papa était parti travailler, et j'étais libre de disposer à ma guise du bout d'étagère qui m'avait été attribué, mais j'avais une idée très puérile de comment faire quoi. Je classai donc mes livres d'après leur format, les plus grands étant précisément ceux qui étaient indignes de moi : les histoires en hébreu vocalisé, les poésies, les albums illustrés que l'on me lisait quand j'étais bébé. J'avais agi ainsi pour remplir tout l'espace qui m'était imparti sur l'étagère. Je voulais qu'il soit plein à ras bords, qu'il déborde, exactement comme chez mon père. À son retour, j'étais encore euphorique : il jeta un regard incrédule sur mon petit domaine avant de me dévisager en silence d'un air que je n'oublierai jamais – c'était une expression de mépris, de déception amère, indicible, de désespoir génétique total. « Dis-moi, tu as perdu la tête ? grinça-t-il finalement entre ses dents. Par ordre de taille ? Tu crois que les livres sont des soldats ou quoi ? Une garde d'honneur ? Le défilé de l'orchestre des pompiers ? »

Il se tut. Un long silence terrible à la Gregor Samsa, à croire que je me métamorphosais en cafard devant ses yeux. De mon côté, je gardais un silence coupable, comme si on venait de découvrir que j'avais toujours été un misérable insecte, et que tout était irrémédiablement perdu.

À la fin, mon père m'exposa les réalités de la vie pendant vingt minutes. Il ne me cacha rien. Il me fit pénétrer dans le saint des saints du monde des bibliothécaires : il me dévoila la voie royale ainsi que les chemins de traverse, les paysages vertigineux des variantes, des nuances, des fantaisies, des avenues retirées, des tonalités audacieuses, et même des excentricités : on pouvait classer les livres d'après les titres, l'ordre alphabétique d'auteurs, les collections et les éditions, la chronologie, les langues, les sujets, la thématique, le genre et le domaine, voire le lieu de publication, et ainsi de suite…

C'est ainsi que je m'initiai aux arcanes de la nuance : la vie comporte différentes voies. Les choses peuvent se passer de telle ou telle façon, suivant des partitions diverses ou des logiques parallèles. Chacun de ces raisonnements est conséquent et cohérent à sa manière, parfait, indifférent aux autres.

Les jours suivants, je passais des heures à organiser ma petite bibliothèque, vingt ou trente livres que je battais et étalais comme un jeu de cartes, puis redistribuais de multiples façons, selon toutes sortes de combinaisons et de critères.

Ce sont les livres qui m'ont enseigné l'art de la composition : non pas leur contenu, mais les livres eux-mêmes ; leur existence physique. Les livres m'ont appris les no man's land vertigineux, la zone d'ombre entre le licite et l'illicite, le légitime et l'excentrique, le normatif et le bizarre. Cette leçon accompagne encore ma vie. Et quand vint le temps de l'amour, je n'étais pas vraiment un novice ; je savais qu'il existait des menus variés, une autoroute, des itinéraires panoramiques et des sentiers reculés que le pied de l'homme n'avait pratiquement jamais foulés. Il y avait le légitime à la limite de l'illégal et l'illégal à la limite du légitime. Et ainsi de suite…

Amos Oz, *Une histoire d'amour et de ténèbres* [2002],
trad. par Sylvie Cohen, Gallimard, « Folio », 2005.

Le mythe de Pygmalion

Ovide, *Les Métamorphoses*

Les Métamorphoses sont un long poème qui rapporte une centaine de mythes et fables du monde gréco-romain, suivant un ordre se voulant chronologique, depuis le Chaos originel jusqu'à l'apothéose de Jules César. Ovide n'est pas l'inventeur du mythe de Pygmalion mais ce texte est sans doute le plus célèbre des textes anciens évoquant ce mythe.

Pygmalion, pour les avoir vues mener une existence vouée au crime, plein d'horreur pour les vices que la nature a prodigalement départis à la femme, vivait sans épouse, célibataire, et se passa longtemps d'une compagne partageant sa couche. Cependant, avec un art et un succès merveilleux, il sculpta dans l'ivoire à la blancheur de neige un corps auquel il donna la beauté qu'aucune femme ne peut tenir de la nature ; et il conçut de l'amour pour son œuvre. Elle avait toute l'apparence d'une véritable vierge, que l'on eût crue vivante et, si la pudeur ne l'empêchait, désireuse de se mouvoir : tant l'art se dissimule grâce à son art même. Pygmalion s'émerveille et son cœur s'enflamme pour ce simulacre de corps. Souvent il palpe des mains son œuvre pour se rendre compte si c'est de la chair ou de l'ivoire. Il lui donne des baisers et s'imagine qu'ils lui sont rendus ; il lui parle, il la serre contre lui et croit sentir céder sous ses doigts la chair des membres qu'il touche ; la crainte le prit même que ces membres, sous la pression, ne gardassent une marque livide. Tantôt il lui prodigue les caresses, tantôt il lui apporte des présents qui sont bienvenus des jeunes filles, des coquillages, des cailloux polis, de petits oiseaux et des fleurs de mille couleurs, des lis, des balles peintes et des larmes tombées de l'arbre des Héliades. Il la pare aussi de vêtements, passe à ses doigts des bagues de pierres précieuses, à son cou de longs colliers ; à ses oreilles pendent de légères perles, des chaînettes sur sa poitrine. […]

Pygmalion, le jour de la fête de Vénus, fait une prière à la déesse de l'amour, formant le vœu que son épouse soit la vierge d'ivoire.

Rentré chez lui, Pygmalion se rend auprès de sa statue de jeune fille, et se penchant sur le lit, il lui donna des baisers. Il lui sembla que sa chair devenait tiède. Il approche de nouveau sa bouche ; de ses mains, il tâte aussi la poitrine : au toucher, l'ivoire s'amollit, et, perdant sa dureté, il s'enfonce sous les doigts et cède, comme la cire de l'Hymette redevient molle au soleil et prend docilement sous le pouce qui la travaille toutes les formes, d'autant plus propre à l'usage qu'on use davantage d'elle. Frappé de stupeur, plein d'une joie mêlée d'appréhension et craignant de se tromper, l'amant palpe de nouveau de la main et repalpe encore l'objet de ses vœux. C'était un corps vivant : les veines battent au contact du pouce. Alors le héros de Paphos, en paroles débordantes de reconnaissance, rend grâce à Vénus, et presse enfin de sa bouche une bouche qui n'est pas trompeuse. La vierge sentit les baisers qu'il lui donnait et rougit ; et, levant un regard timide vers la lumière, en même temps que le ciel, elle vit celui qui l'aimait. À leur union, qui est son ouvrage, Vénus est présente. Et quand, pour la neuvième fois, le croissant de la lune se referma sur son disque plein, la jeune femme mit au monde Paphos, de laquelle l'île tient son nom.

Ovide, *Les Métamorphoses* [v. Ier s. après J.-C.], livre X, trad. du latin par Joseph Chamonard, GF-Flammarion, 1993.

Jean de La Fontaine, *Fables*

Dans ses *Fables*, Jean de La Fontaine (1621-1695) reprend le mythe de Pygmalion mais pour le détourner : il en fait une critique du paganisme et plus généralement de l'humaine tendance à préférer l'illusion à la vérité.

LE STATUAIRE ET LA STATUE DE JUPITER

Un bloc de marbre était si beau
Qu'un statuaire en fit l'emplette.
Qu'en fera, dit-il, mon ciseau ?
Sera-t-il dieu, table, ou cuvette ?

Il sera dieu : même je veux
Qu'il ait en sa main un tonnerre.
Tremblez, humains, faites des vœux :
Voilà le maître de la terre.

L'artisan exprima si bien
Le caractère de l'idole,
Qu'on trouva qu'il ne manquait rien
À Jupiter que la parole.

Même l'on dit que l'ouvrier
Eut à peine achevé l'image,
Qu'on le vit frémir le premier,
Et redouter son propre ouvrage.

À la faiblesse du sculpteur
Le poète autrefois n'en dut guère,
Des dieux dont il fut l'inventeur
Craignant la haine et la colère.

Il était enfant en ceci ;
Les enfants n'ont l'âme occupée
Que du continuel souci
Qu'on ne fâche point leur poupée.

Le cœur suit aisément l'esprit :
De cette source est descendue
L'erreur païenne, qui se vit
Chez tant de peuples répandue.

Ils embrassaient violemment
Les intérêts de leur chimère :
Pygmalion devint amant
De la Vénus dont il fut père.

Chacun tourne en réalités,
Autant qu'il peut, ses propres songes :
L'homme est de glace aux vérités ;
Il est de feu pour les mensonges.

Jean de La Fontaine, *Fables* [2007],
Belin-Gallimard, « Classico », 2015.

Ballot de Sauvot, *Pygmalion*

Dans l'acte de ballet composé par le musicien Jean-Philippe Rameau (1683-1764) et dont le livret est l'œuvre de Ballot de Sauvot (xviiie siècle), l'amour de Pygmalion pour sa statue est présenté comme une punition des dieux.

Scène première

Pygmalion, *seul.*

Fatal Amour, cruel vainqueur,
Quels traits as-tu choisis pour me percer le cœur ?
Je tremblais de t'avoir pour maître ;
J'ai craint d'être sensible, il fallait m'en punir ;
Mais devais-je le devenir
Pour un objet qui ne peut l'être ?
Fatal Amour, cruel vainqueur,
Quels traits as-tu choisis pour me percer le cœur !
Insensible témoin du trouble qui m'accable,
Se peut-il que tu sois l'ouvrage de ma main ?
Est-ce donc pour gémir et soupirer en vain
Que mon art a produit ton image adorable ?
Fatal Amour, cruel vainqueur,
Quels traits as-tu choisis pour me percer le cœur ?
[...]

Scène 3

Pygmalion.

Que d'appas ! que d'attraits ! sa grâce enchanteresse
M'arrache malgré moi des pleurs et des soupirs !
Dieux ! quel égarement, quelle vaine tendresse.
Ô Vénus, ô mère des plaisirs,
Étouffe dans mon cœur d'inutiles désirs ;
Pourrais-tu condamner la source de mes larmes ?
L'Amour forma l'objet dont mon cœur est épris.
Reconnais à mes feux l'ouvrage de ton fils :
Lui seul pouvait rassembler tant de charmes.
D'où naissent ces accords ?

Quels sons harmonieux ?
Une vive clarté se répand dans ces lieux.

Ballot de Sauvot, *Pygmalion*, livret de l'acte de ballet
de Jean-Philippe Rameau, 1748.

Honoré de Balzac, *Le Chef-d'œuvre inconnu*

Dans ce court récit, Balzac (1799-1850) met en scène trois peintres, dont Frenhofer, qui depuis dix ans, travaille à un chef-d'œuvre, *La Belle Noiseuse*. Les deux autres artistes, Nicolas Poussin et Frans Porbus (des peintres qui ont réellement existé) demandent à voir ce mystérieux tableau. Réaction indignée d'un Frenhofer qui rappelle Pygmalion amoureux et jaloux de son œuvre.

– Comment ! s'écria-t-il enfin douloureusement, montrer ma créature, mon épouse ? déchirer le voile dont j'ai chastement couvert mon bonheur ? Mais ce serait une horrible prostitution ! Voilà dix ans que je vis avec cette femme, elle est à moi, à moi seul. Elle m'aime. Ne m'a-t-elle pas souri à chaque coup de pinceau que je lui ai donné ? Elle a une âme, l'âme dont je l'ai douée. Elle rougirait si d'autres yeux que les miens s'arrêtaient sur elle. La faire voir ! mais quel est le mari, l'amant assez vil pour conduire sa femme au déshonneur ! Quand tu fais un tableau pour la cour, tu n'y mets pas toute ton âme, tu ne vends aux courtisans que des mannequins coloriés. Ma peinture n'est pas une peinture, c'est un sentiment, une passion ! Née dans mon atelier, elle doit y rester vierge et n'en peut sortir que vêtue. La poésie et les femmes ne se livrent nues qu'à leurs amants ! Possédons-nous les figures de Raphaël, l'Angélique de l'Arioste, la Béatrix du Dante ? Non ! nous n'en voyons que les formes. Eh bien ! l'œuvre que je tiens là-haut sous mes verrous est une exception dans notre art ; ce n'est pas une toile, c'est une femme ! une femme avec laquelle je pleure, je ris, je cause et je pense. Veux-tu que tout à coup je quitte un bonheur de dix années comme on jette un manteau ? Que tout à coup je cesse d'être père, amant et Dieu ? Cette femme n'est pas une créature, c'est une création. Vienne ton jeune homme, je lui donnerai mes trésors, je lui donnerai des tableaux du Corrège, de

Michel-Ange, du Titien, je baiserai la marque de ses pas dans la poussière ; mais en faire mon rival ? honte à moi ! Ha ! ha ! je suis plus amant encore que je ne suis peintre.

Honoré de Balzac, *Le Chef-d'œuvre inconnu* [1831], Gallimard, « Folio classique », 2005.

Émile Zola, *L'Œuvre*

Ce roman de Zola (1840-1902) retrace le parcours de Claude, un peintre tourmenté au cœur de toutes les recherches artistiques de la fin du XIXe siècle. Il est ici chez son ami Mahoudeau, qui a sculpté une monumentale Baigneuse. Il fait chaud, la sculpture est placée près d'un poêle. Ce texte est comme la réécriture d'un mythe de Pygmalion voué à l'échec et dégradé, à l'image des œuvres de Claude.

Le poêle commençait à rougir, une grosse chaleur se dégageait. Justement, la Baigneuse, placée très près, semblait revivre, sous le souffle tiède qui lui montait le long de l'échine, des jarrets à la nuque. Et tous les deux, assis maintenant, continuaient à la regarder de face et à parler d'elle, la détaillant, s'arrêtant à chaque partie de son corps. Le sculpteur surtout s'excitait dans sa joie, la caressait de loin d'un geste arrondi. Hein ? Le ventre en coquille, et ce joli pli à la taille, qui accusait le renflement de la hanche à gauche !

À ce moment, Claude, les yeux sur le ventre, crut avoir une hallucination. La Baigneuse bougeait, le ventre avait frémi d'une onde légère, la hanche gauche s'était tendue encore, comme si la jambe droite allait se mettre en marche.

– Et les petits plans qui filent vers les reins, continuait Mahoudeau, sans rien voir. Ah ! c'est ça que j'ai soigné ! Là, mon vieux, la peau, c'est du satin.

Peu à peu, la statue s'animait tout entière. Les reins roulaient, la gorge se gonflait dans un grand soupir, entre les bras desserrés. Et, brusquement, la tête s'inclina, les cuisses fléchirent, elle tombait d'une chute vivante, avec l'angoisse effarée, l'élan de douleur d'une femme qui se jette.

Claude comprenant enfin, lorsque Mahoudeau eut un cri terrible.

– Nom de Dieu ! ça casse, elle se fout par terre !

En dégelant, la terre avait rompu le bois trop faible de l'armature. Il y eut un craquement, on entendit des os se fendre. Et lui, du même geste d'amour dont il s'enfiévrait à la caresser de loin, ouvrit les deux bras, au risque d'être tué sous elle. Une seconde, elle oscilla, puis s'abattit d'un coup, sur la face, coupée aux chevilles, laissant ses pieds collés à la planche.

Claude s'était élancé pour le retenir.

– Bougre ! tu vas te faire écraser !

Mais, tremblant de la voir s'achever sur le sol, Mahoudeau restait les mains tendues. Et elle sembla lui tomber au cou, il la reçut dans son étreinte, serra les bras sur cette grande nudité vierge, qui s'animait comme sous le premier éveil de la chair. Il y entra, la gorge amoureuse s'aplatit contre son épaule, les cuisses vinrent battre les siennes, tandis que la tête, détachée, roulait par terre. La secousse fut si rude, qu'il se trouva emporté, culbuté jusqu'au mur ; et, sans lâcher ce tronçon de femme, il demeura étourdi, gisant près d'elle.

Émile Zola, L'Œuvre [1886], Gallimard, « Folio classique », 2006.

Auguste Villiers de L'Isle-Adam, *L'Ève future*

Variation scientifico-magique sur le mythe de Pygmalion, *L'Ève future* d'Auguste Villiers de L'Isle Adam (1838-1889) met en scène le fameux inventeur américain Thomas Edison, pionnier de l'électricité, du cinéma, du téléphone et de l'enregistrement du son. Son jeune ami, le dandy anglais lord Ewald souffre d'une étrange et terrible peine d'amour : il ne peut aimer qu'Alicia Clary car elle est la plus belle de toutes les femmes – mais il ne saurait se livrer à cet amour car elle est aussi très bête ! Edison lui propose alors une solution originale : grâce à la science, il créera une « andréide », copie physique exacte d'Alicia, et grâce à un dispositif magique, il la dotera d'une âme supérieure.

« Eh bien ! puisque cette femme vous est si chère… JE VAIS LUI RAVIR SA PROPRE PRÉSENCE.

Je vais vous démontrer, mathématiquement et à l'instant même, comment, avec les formidables ressources actuelles de la Science, – et ceci d'une manière glaçante peut-être, mais indubitable, – comment je puis, dis-je, me saisir de la grâce même de son geste, des plénitudes de son corps, de la senteur de sa chair, du timbre de sa voix, du ployé de sa taille, de la lumière de ses yeux, du *reconnu* de ses mouvements et de sa démarche, de la personnalité de son regard, de ses traits, de son ombre sur le sol, de son *apparaître*, du reflet de son Identité, enfin. – Je serai le meurtrier de sa sottise, l'assassin de son animalité triomphante. Je vais, d'abord, réincarner toute cette expériorité, qui vous est si délicieusement mortelle, en une Apparition dont la ressemblance et le charme HUMAINS dépasseront votre espoir et tous vos rêves ! Ensuite, *à la place de cette âme, qui vous rebute dans la vivante, j'insufflerai une autre sorte d'âme*, moins consciente d'elle-même, peut-être (– et encore, qu'en savons-nous ? et qu'importe ! –), mais suggestive d'impressions mille fois plus belles, plus nobles, plus élevées, c'est-à-dire revêtues de ce caractère d'éternité sans lequel tout n'est que comédie chez les vivants. Je reproduirai strictement, je dédoublerai cette femme, à l'aide sublime de la Lumière ! Et, la projetant sur sa MATIÈRE RADIANTE, j'illuminerai de votre mélancolie l'âme imaginaire de cette créature nouvelle, capable d'étonner des anges. Je terrasserai l'Illusion ! Je l'emprisonnerai. Je forcerai, dans cette vision, l'Idéal lui-même à se manifester, pour la première fois, *à vos sens*, PALPABLE, AUDIBLE ET MATÉRIALISÉ. J'arrêterai, au plus profond de son vol, la première heure de ce mirage enchanté que vous poursuivez en vain, dans vos souvenirs ! Et, la fixant presque immortellement, entendez-vous ? dans la seule et véritable forme où vous l'avez entrevue, je *tirerai la vivante à un second exemplaire, et transfigurée selon vos vœux* ! Je doterai cette Ombre de tous les chants de l'*Antonia* du conteur Hoffmann, de toutes les mysticités passionnées des *Ligéias* d'Edgar Poe, de toutes les séductions ardentes de la *Vénus* du puissant musicien Wagner ! Enfin, pour vous racheter l'être, je prétends pouvoir – et vous prouver d'avance, encore une fois, que positivement je le puis – faire sortir du limon de l'actuelle Science Humaine un Être *fait à notre image*, et qui nous sera, par conséquent, CE QUE NOUS SOMMES À DIEU. »

Et l'électricien, faisant serment, leva la main.

Villiers de L'Isle-Adam, *L'Ève future* [1886], GF-Flammarion, 2008.

L'épreuve écrite du Bac de français s'appuie sur un corpus (ensemble de textes et de documents iconographiques). Le sujet se compose de deux parties: une ou deux questions portant sur le corpus puis trois travaux d'écriture au choix (commentaire, dissertation, écriture d'invention).

Sujet **Portraits amoureux**

👉 Le personnage de roman, du XVIIe siècle à nos jours

Corpus	
Texte A	Honoré de Balzac, *Ursule Mirouët*
Texte B	Gustave Flaubert, *L'Éducation sentimentale*
Texte C	Dai Sijie, *Balzac et la Petite Tailleuse chinoise*
Annexe	Auguste Renoir, *Portrait de Jeanne Samary*, dit «La Rêverie»

Texte A
Honoré de Balzac, *Ursule Mirouët* (1842)

L'héroïne du roman de Balzac est une jeune orpheline recueillie par son parrain, le docteur Minoret. Ils apparaissent ici tous deux à Désiré, un neveu du docteur, à la sortie de la messe.

Par un effet du hasard, qui se permet tout, Désiré vit Ursule sous le porche de la paroisse au moment où il passait, et resta stupéfait de sa beauté. Le mouvement du jeune avocat arrêta nécessairement la marche de ses parents.

Obligée, en donnant le bras à son parrain de tenir de la main droite son paroissien[1] et de l'autre son ombrelle, Ursule déployait alors la grâce innée que les femmes gracieuses mettent à s'acquitter des choses difficiles de leur joli métier de femmes. Si la pensée se révèle en tout, il est permis de dire que ce maintien exprimait une divine simplesse. Ursule était vêtue d'une robe de mousseline blanche en façon de peignoir, ornée de distance en distance de nœuds bleus. La pèlerine bordée d'un ruban pareil, passé dans un large ourlet, et attachée par des nœuds semblables à ceux de la robe, laissait apercevoir la beauté de son corsage. Son cou, d'une blancheur mate, était d'un ton charmant mis en relief par tout ce bleu, le fard des blondes. Sa ceinture bleue à longs bouts flottants dessinait une taille plate, qui paraissait flexible, une des plus séduisantes grâces de la femme. Elle portait un chapeau de paille de riz, modestement garni de rubans pareils à ceux de la robe et dont les brides étaient nouées sous le menton, ce qui, tout en relevant l'excessive blancheur du chapeau, ne nuisait point à celle de son beau teint de blonde. De chaque côté de la figure d'Ursule, qui se coiffait elle-même naturellement à la Berthe, ses cheveux fins et blonds abondaient en grosses nattes aplaties dont les petites tresses saisissaient le regard par leurs mille bosses brillantes. Ses yeux gris, à la fois doux et fiers, étaient en harmonie avec un front bien modelé. Une teinte rose répandue sur ses joues comme un nuage animait sa figure régulière sans fadeur, car la nature lui avait à la fois donné, par un rare privi-

---

1. **Paroissien** : livre de prières dont on se sert pour suivre la messe.

lège, la pureté des lignes et la physionomie. La noblesse de sa vie se trahissait dans un admirable accord entre ses traits, ses mouvements et l'expression générale de sa personne, qui pouvait servir de modèle à la Confiance ou à la Modestie. Sa santé, quoique brillante, n'éclatait point grossièrement, en sorte qu'elle avait l'air distingué. Sous ses gants de couleur claire, on devinait de jolies mains. Ses pieds cambrés et minces étaient mignonnement chaussés de brodequins en peau bronzée ornés d'une frange en soie brune. Sa ceinture bleue, gonflée par une petite montre plate et par sa bourse bleue à glands d'or, attira les regards de toutes les femmes.

Honoré de Balzac, *Ursule Mirouët*.

Texte B
Gustave Flaubert, *L'Éducation sentimentale* (1869)

Ce roman suit le parcours de Frédéric Moreau, jeune homme provincial venant faire ses études à Paris. Cette scène constitue un épisode décisif de sa vie: parmi les passagers d'un bateau, Frédéric remarque soudain une femme qui sera le grand amour de sa vie.

Ce fut comme une apparition.

Elle était assise, au milieu du banc, toute seule ; ou du moins, il ne distingua personne, dans l'éblouissement que lui envoyèrent ses yeux. En même temps qu'il passait, elle leva la tête ; il fléchit involontairement les épaules ; et, quand il se fut mis plus loin, du même côté, il regarda.

Elle avait un large chapeau de paille, avec des rubans roses qui palpitaient au vent derrière elle. Ses bandeaux noirs, contournant la pointe de ses grands sourcils, descendaient très bas et semblaient presser amoureusement l'ovale de sa figure. Sa robe de mousseline claire, tachetée de petits pois, se répandait à plis nombreux. Elle était en train de broder quelque chose ; et son nez droit, son menton, toute sa personne se découpait sur le fond de l'air bleu.

Comme elle gardait la même attitude, il fit plusieurs tours, de droite et de gauche pour dissimuler sa manœuvre ; puis il se planta tout près de son ombrelle, posée contre le banc, et il affectait d'observer une chaloupe sur la rivière.

Jamais il n'avait vu cette splendeur de sa peau brune, la séduction de sa taille, ni cette finesse des doigts que la lumière traversait. Il considérait son panier à ouvrage avec ébahissement, comme une chose extraordinaire.

Gustave Flaubert, *L'Éducation sentimentale*.

Texte C
Dai Sijie, *Balzac et la Petite Tailleuse chinoise* (2000)

La princesse de la montagne du Phénix du Ciel portait une paire de chaussures rose pâle, en toile à la fois souple et solide, à travers laquelle on pouvait suivre les mouvements de ses orteils à chaque coup qu'elle donnait au pédalier de sa machine à coudre. Ces chaussures étaient ordinaires, bon marché, faites à la main, et cependant, dans cette région où presque tout le monde marchait pieds nus, elles sautaient aux yeux, semblaient raffinées et précieuses. Ses chevilles et ses pieds avaient une jolie forme, mise en valeur par des chaussettes en nylon blanc.

Une longue natte, grosse de trois ou quatre centimètres, tombait sur sa nuque, longeait son dos, dépassait ses hanches, et se terminait par un ruban rouge, flambant neuf, en satin et soie tressés.

Elle se penchait vers la machine à coudre, dont le plateau lisse reflétait le col de sa chemise blanche, son visage ovale, et l'éclat de ses yeux, sans doute les plus beaux du district de Yong Jing, sinon de toute la région.

Dai Sijie, *Balzac et la Petite Tailleuse chinoise*, chapitre 1, deuxième section.

Annexe
Auguste Renoir, *Portrait de Jeanne Samary*, dit « La Rêverie » (1877)

➡ Image reproduite en fin d'ouvrage, au verso de la couverture.

▤ *Questions sur le corpus*

(4 points pour les séries générales ou 6 points pour les séries technologiques)

1. Les textes du corpus ont plusieurs points communs dans leur façon de mettre en œuvre la description et même dans les personnages féminins présentés. Vous en dégagerez trois en analysant des passages précis des extraits.

2. Ces portraits vous paraissent-ils objectifs ? Justifiez votre réponse. Vous pourrez intégrer le tableau de Renoir à votre réflexion.

▤ *Travaux d'écriture*

(16 points pour les séries générales ou 14 points pour les séries technologiques)

Vous traiterez au choix un des sujets suivants.

Commentaire

Vous ferez le commentaire du texte de Balzac (texte A) en vous aidant du parcours suivant :

– En quoi Ursule est-elle non seulement une image de la beauté mais aussi de la pureté ?

– Comment ce texte témoigne-t-il d'un véritable art du portrait, liant portrait physique et portrait moral, description et récit ?

Dissertation

Dans un roman, la description constitue-t-elle un temps mort du récit ? Vous répondrez à cette question en un développement argumenté qui prendra appui sur les textes du corpus, sur ceux que vous avez étudiés et sur vos lectures personnelles.

Écriture d'invention

Rédigez le portait d'une personne sur laquelle votre regard s'est arrêté. Les sentiments qu'elle fait naître en vous ne seront pas directement exprimés mais resteront perceptibles dans votre description.

Fenêtres sur...

Des ouvrages à lire

D'autres romans qui évoquent la Chine

- François Cheng, *Le Dit de Tianyi*, Albin Michel, 1998.
- Shan Sa, *La Joueuse de go*, Gallimard, « La bibliothèque Gallimard », 2005.
- Dai Sijie, *Le Complexe de Di* [2003], Gallimard, « Folio », 2005.
- Dai Sijie, *Par une Nuit où la lune ne s'est pas levée* [2007], Gallimard, « Folio », 2008.

D'autres romans qui nous disent que la lecture peut bouleverser une vie

- Jean-Paul Sartre, *Les Mots* [1964], Gallimard, « Folio », 1972.
- Luis Sepúlveda, *Le vieux qui lisait des romans d'amour* [1989], Métailié, 1992.
- Bernhard Schlink, *Le Liseur* [1996], Gallimard, « Folio », 1999.
- Jean-Marie Gourio, *Chut!*, Julliard, 1998.

Des récits d'apprentissage au cinéma

(Les œuvres citées ci-dessous sont disponibles en DVD.)

• *La Trilogie d'Apu*, Satyajit Ray, comprend:
  – *La Complainte du sentier*, avec Subir Bannerjee (Apu), Kanu Bannerjee (Harihar Ray) et Karuna Bannerjee (Sarbojaya Ray), noir et blanc, 1955;
  – *L'Invaincu*, avec Pinaki Sengupta (Apu enfant), Smaran Ghosal (Apu adolescent) et Kanu Bannerjee (Harihar Ray), noir et blanc, 1956;
  – *Le Monde d'Apu*, avec Soumitra Chatterjee (Apu) et Sharmila Tagore (Aparna), noir et blanc, 1959.
• *La Fureur de vivre*, Nicholas Ray, avec James Dean (Jim Stark) et Natalie Wood (Judy), couleur, 1955.
• *Balzac et la Petite Tailleuse chinoise*, Dai Sijie, avec Xun Zhou (la Petite Tailleuse), Kun Chen (Luo) et Ye Liu (Ma), couleur, 2002.
• *Esther Kahn*, Arnaud Desplechin, avec Summer Phoenix (Esther Kahn) et Ian Holm (Nathan Quellen), couleur, 2000.
• *Spider-Man 2*, Sam Raimi, avec Tobey Maguire (Peter Parker) et Kirsten Dunst (Mary Jane Watson), couleur, 2004.

Des musées à découvrir Histoire des arts

Pour découvrir l'art chinois à Paris

• Le musée Guimet, musée national des Arts asiatiques (un département est consacré à l'art chinois), 6 place d'Iena (16e arrondissement).
• Le musée Cernuschi propose une découverte des arts chinois, des origines au xive siècle, 7 avenue Velasquez (8e arrondissement).

Pour un hommage à Balzac

• La maison de Balzac à Paris, transformée en musée (souvenirs personnels, tableaux, gravures, manuscrits…), 47 rue Raynouard (16e arrondissement).
• Le château de Saché (37190), situé dans la Touraine natale de l'auteur et dans lequel il a souvent résidé, a également été transformé en musée.

Glossaire

Analepse : retour en arrière dans un récit (au cinéma, on parlerait de flash-back).

Autodérision : forme d'humour où l'on se moque de soi-même.

Éponyme : personnage qui donne son nom à une œuvre.

Héroï-comique : tonalité comique qui traite noblement de sujets communs ou triviaux.

Kafkaïen : qui rappelle l'atmosphère oppressante, absurde et sans issue des romans de Franz Kafka (1883-1924).

Polyphonique : qui combine plusieurs voix (le terme s'applique d'abord à la musique mais peut s'employer à propos d'un texte qui fait entendre plusieurs voix).

Prolepse : figure par laquelle la narration mentionne des faits qui se produiront plus tard.

Pygmalion: dans la mythologie grecque, Pygmalion est un sculpteur qui, alors qu'il méprisait les femmes, façonna une statue si parfaite qu'il en tomba amoureux. Vénus, touchée par cet amour ardent et original, exauça son désir et insuffla la vie à la statue. Pygmalion la nomma Galatée et l'épousa (voir groupement de texte n°2 page 186).

Quiproquo: du latin *quid pro quod* («une chose à la place d'une autre»). Le quiproquo désigne une situation, souvent comique, où une personne ou une chose est prise pour une autre.

Registre: le registre est l'impression qu'une œuvre vise à produire sur son lecteur (terreur, compassion, amusement…). On distingue généralement les registres sérieux (pathétique, tragique, épique, lyrique…) des registres plaisants (comique, burlesque, satirique…).

Roman d'apprentissage (ou d'éducation): ce type de roman met en scène un héros (ou une héroïne) qui, d'épreuve en initiation, de découverte en expérience, franchit le seuil de l'âge adulte. Le lecteur le suit donc dans sa transformation morale, intellectuelle, affective et sociale.

Roman historique: récit qui mêle le destin de ses personnages à des événements historiques ou à la vie d'autres personnages historiques.

Rythme du récit: il dépend du rapport entre le temps de la narration (que l'on mesure en lignes, en pages) et le temps de l'histoire (ce sont les heures, les jours, les années que couvre l'action). Un rythme est rapide lorsque, en quelques lignes, des actions qui couvrent une certaine durée s'enchaînent. Il est lent lorsque, sur plusieurs pages, l'action est réduite (voire nulle dans le cas d'une description).

Notes

_____

_____

_____

_____

_____

_____

_____

_____

_____

_____

_____

_____

_____

Notes

Notes

Notes

Notes

Notes

Notes

Notes

Dans la même collection

CLASSICOCOLLÈGE

14-18 Lettres d'écrivains (anthologie) (1)
Contes (Andersen, Aulnoy, Grimm, Perrault) (93)
Douze nouvelles contemporaines (anthologie) (119)
Fabliaux (94)
La Farce de maître Pathelin (75)
Gilgamesh (17)
Histoires de vampires (33)
La Poésie engagée (anthologie) (31)
La Poésie lyrique (anthologie) (49)
Le Roman de Renart (50)
Les textes fondateurs (anthologie) (123)
Neuf nouvelles réalistes (anthologie) (125)
Jean Anouilh – *Le Bal des voleurs* (78)
Guillaume Apollinaire – *Calligrammes* (2)
Honoré de Balzac – *Le Colonel Chabert* (57)
Béroul – *Tristan et Iseut* (61)
Albert Camus – *Le Malentendu* (114)
Lewis Carroll – *Alice au pays des merveilles* (53)
Driss Chraïbi – *La Civilisation, ma Mère !...* (79)
Chrétien de Troyes – *Lancelot ou le Chevalier de la charrette* (109)
Chrétien de Troyes – *Yvain ou le Chevalier au lion* (3)
Jean Cocteau – *Antigone* (96)
Albert Cohen – *Le Livre de ma mère* (59)
Corneille – *Le Cid* (41)
Didier Daeninckx – *Meurtres pour mémoire* (4)
Dai Sijie – *Balzac et la Petite Tailleuse chinoise* (116)
Annie Ernaux – *La Place* (82)
Georges Feydeau – *Dormez, je le veux !* (76)
Gustave Flaubert – *Un cœur simple* (77)
Romain Gary – *La Vie devant soi* (113)
William Golding – *Sa Majesté des Mouches* (5)
Jacob et Wilhelm Grimm – *Contes* (73)
Homère – *L'Odyssée* (14)
Victor Hugo – *Claude Gueux* (6)

Victor Hugo – *Les Misérables* (110)
Joseph Kessel – *Le Lion* (38)
Jean de La Fontaine – *Fables* (74)
J.M.G. Le Clézio – *Mondo et trois autres histoires* (34)
Jack London – *L'Appel de la forêt* (30)
Guy de Maupassant – *Histoire vraie et autres nouvelles* (7)
Guy de Maupassant – *Le Horla* (54)
Guy de Maupassant – *Nouvelles réalistes* (97)
Prosper Mérimée – *Mateo Falcone* et *La Vénus d'Ille* (8)
Molière – *L'Avare* (51)
Molière – *Le Bourgeois gentilhomme* (62)
Molière – *Les Fourberies de Scapin* (9)
Molière – *George Dandin* (115)
Molière – *Le Malade imaginaire* (42)
Molière – *Le Médecin malgré lui* (13)
Molière – *Le Médecin volant* et *L'Amour médecin* (52)
Jean Molla – *Sobibor* (32)
Ovide – *Les Métamorphoses* (37)
Charles Perrault – *Contes* (15)
Edgar Allan Poe – *Trois nouvelles extraordinaires* (16)
Jules Romains – *Knock ou le Triomphe de la médecine* (10)
Edmond Rostand – *Cyrano de Bergerac* (58)
Antoine de Saint-Exupéry – *Lettre à un otage* (11)
William Shakespeare – *Roméo et Juliette* (70)
Sophocle – *Antigone* (81)
John Steinbeck – *Des souris et des hommes* (100)
Robert Louis Stevenson – *L'Île au Trésor* (95)
Jean Tardieu – *Quatre courtes pièces* (63)
Michel Tournier – *Vendredi ou la Vie sauvage* (69)
Fred Uhlman – *L'Ami retrouvé* (80)
Paul Verlaine – *Romances sans paroles* (12)
Anne Wiazemsky – *Mon enfant de Berlin* (98)

CLASSICOLYCÉE

Des poèmes et des rêves (anthologie) (105)

Guillaume Apollinaire – *Alcools* (25)

Honoré de Balzac – *La Fille aux yeux d'or* (120)

Honoré de Balzac – *Le Père Goriot* (99)

Charles Baudelaire – *Les Fleurs du mal* (21)

Charles Baudelaire – *Le Spleen de Paris* (87)

Beaumarchais – *Le Mariage de Figaro* (65)

Ray Bradbury – *Fahrenheit 451* (66)

Albert Camus – *La Peste* (90)

Emmanuel Carrère – *L'Adversaire* (40)

Corneille – *Médée* (84)

Dai Sijie – *Balzac et la Petite Tailleuse chinoise* (28)

Denis Diderot – *Supplément au Voyage de Bougainville* (56)

Alexandre Dumas – *Pauline* (121)

Marguerite Duras – *Un barrage contre le Pacifique* (67)

Paul Éluard – *Capitale de la douleur* (91)

Annie Ernaux – *La Place* (35)

Élisabeth Filhol – *La Centrale* (112)

Francis Scott Fitzgerald – *Gatsby le magnifique* (104)

Gustave Flaubert – *Madame Bovary* (89)

Romain Gary – *La Vie devant soi* (29)

Jean Genet – *Les Bonnes* (45)

Jean Giono – *Un roi sans divertissement* (118)

J.-Cl. Grumberg, Ph. Minyana, N. Renaude – *Trois pièces contemporaines* (24)

Victor Hugo – *Le Dernier Jour d'un condamné* (44)

Victor Hugo – *Poésies* (124)

Victor Hugo – *Ruy Blas* (19)

Eugène Ionesco – *La Cantatrice chauve* (20)

Eugène Ionesco – *Le roi se meurt* (43)

Laclos – *Les Liaisons dangereuses* (88)

Mme de Lafayette – *La Princesse de Clèves* (71)

Jean de La Fontaine – *Fables* (126)

Marivaux – *L'Île des esclaves* (36)

Marivaux – *Le Jeu de l'amour et du hasard* (55)

Guy de Maupassant – *Bel-Ami* (27)

Guy de Maupassant – *Pierre et Jean* (64)

Molière – *Dom Juan* (26)

Molière – *L'École des femmes* (102)

Molière – *Le Misanthrope* (122)

Molière – *Le Tartuffe* (48)

Montesquieu – *Lettres persanes* (103)

Alfred de Musset – *Lorenzaccio* (111)

Alfred de Musset – *On ne badine pas avec l'amour* (86)

George Orwell – *La Ferme des animaux* (106)

Pierre Péju – *La Petite Chartreuse* (92)

Francis Ponge – *Le Parti pris des choses* (72)

Abbé Prévost – *Manon Lescaut* (23)

Racine – *Andromaque* (22)

Racine – *Bérénice* (60)

Racine – *Britannicus* (108)

Racine – *Phèdre* (39)

Arthur Rimbaud – *Œuvres poétiques* (68)

Paul Verlaine – *Poèmes saturniens et Fêtes galantes* (101)

Voltaire – *Candide* (18)

Voltaire – *L'Ingénu* (85)

Voltaire – *Micromégas* (117)

Voltaire – *Zadig* (47)

Émile Zola – *La Fortune des Rougon* (46)

Émile Zola – *Nouvelles naturalistes* (83)

Émile Zola – *Thérèse Raquin* (107)

Pour obtenir plus d'informations, bénéficier d'offres spéciales enseignants ou nous communiquer vos attentes, renseignez-vous sur **www.collection-classico.com** ou envoyez un courriel à **contact.classico@editions-belin.fr**

Imprimé en Espagne par Novoprint (Barcelone)

Dépôt légal : août 2009 --N° d'édition : 70115184-07/juillet15